D1408709

Ces fantômes qui hantent notre monde

Ces fantômes qui hantent notre monde

Diane Canwell & Jonathan Sutherland
Traduction : Geneviève Rouleau

Les Éditions
Coup d'œil

Quantum Publishing Ltd
6 Blundell Street
London N7 9BH

Direction : Esther Tremblay
Infographie : Marie-Claude Parenteau
Traduction : Geneviève Rouleau

Gouvernement du
Québec- Programme de crédit
d'impôt pour l'édition
de livres-Gestions Sodec

Dépôts Légaux :
Bibliothèque nationale
et archives du Québec
Bibliothèque nationale
du Canada

ISBN : 978-2-89638-302-3

Imprimé à Singapour par
Star Standard Industries

TABLE DES MATIÈRES

INTRODUCTION

Avez-vous déjà pensé que vous aviez vu quelque chose d'étrange ou d'inexplicable dans le coin de votre œil ? Avez-vous déjà eu l'impression que vous n'étiez pas seul ou que la température de la pièce s'était brusquement refroidie ? Peut-être n'êtes-vous pas le seul et peut-être, comme des milliers d'autres personnes à travers les siècles, avez-vous vraiment fait l'expérience d'un phénomène qui ne peut être expliqué.

Plusieurs croient que les fantômes, ou les ombres du passé, se manifestent au monde vivant et que les événements qui se sont produits il y a longtemps sont

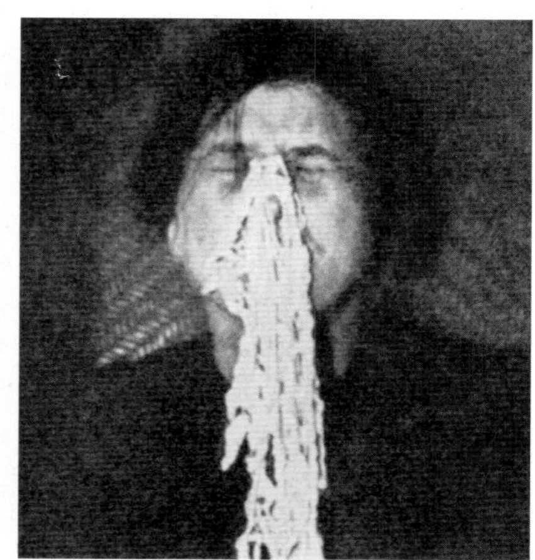

PAGE OPPOSÉE, À GAUCHE : Est-ce une apparition ou simplement un bon trucage caméra ?

PAGE OPPOSÉE, À DROITE : Le médium Éva C., avec son ectoplasme, sortant de ses orifices faciaux, photographiée le 8 mars 1918.

À GAUCHE : Cette photographie d'un incendie à Wem Town Hall, dans le Shropshire, en Angleterre, a été prise par Tony O'Rahilly, le 19 novembre 1995. Le développement a révélé ce qui semble être un fantôme d'enfant. Certains pensent que ce spectre serait lié à un incendie qui a ravagé Wem, en 1667, alors qu'une petite fille avait accidentellement mis le feu au toit de chaume avec une chandelle.

reconstitués à la suite d'un élément déclencheur inconnu.

Les milliers de personnes qui prétendent avoir vu des apparitions peuvent-elles, toutes, être dans l'erreur ? Sont-elles simplement plus suggestibles que d'autres ? Comment expliquer que des individus, dont les cheminements de vie diffèrent et qui proviennent de différentes parties du monde, constatent le même phénomène, associé à un endroit particulier ?

Parfois, les indices visuels proviennent du phénomène lui-même. Dans ce cas, les apparitions semblent ne pas avoir connaissance de notre présence et ne pas remarquer que les des portes ont été remplies avec de la brique, que les niveaux

La maison Hatfield, dans le comté d'Hertfordshire, a été habitée, pendant quelque temps, par Élizabeth Ire, avant qu'elle n'accède au trône d'Angleterre. Elle est hantée par un entraîneur et des chevaux, qui entrent dans la maison et montent les marches.

des étages ont changé, ou qu'un bâtiment auquel ils ont été associés a été démoli ou déménagé.

Des édifices les plus grandioses et comportant une lourde charge historique aux mansardes les plus délabrées, des présences inexpliquées ont été rapportées dans le monde entier. Tous ne peuvent toutefois en faire l'expérience et certaines manifestations échappent même à ceux qui y sont sensibles et pour qui ces phénomènes sont habituels. En outre, les fantômes ne correspondent pas toujours au stéréotype de la silhouette transparente, flottant quelques centimètres au-dessus du sol. Certains se manifestent par une sensation forte et persistante, alors que d'autres ont le pouvoir de déplacer des objets. Très peu peuvent aller jusqu'à

interagir avec le monde des vivants. En outre, les exemples de ces manifestations qui se sont avérés frauduleux sont nombreux.

Effectuons-nous des retours dans le temps ? Voyons-nous la répétition d'un événement qui se serait produit dans un endroit particulier plusieurs décennies ou plusieurs siècles plus tôt ? Pouvons-nous expliquer pourquoi les fantômes des mourants apparaissent aux êtres qui leur sont chers au moment même de leur mort ? Que signifient les orbes, qui reflètent de la lumière dans le noir ou qui émettent des sons inexpliqués ?

Certains des cas les plus célèbres dans le monde figurent dans ces pages et plusieurs d'entre eux sont liés à des personnages historiques ou à des célébrités, d'Anne Boleyn à Elvis Presley. Des cas plus classiques, qui continuent d'intriguer, mais auxquels on n'a trouvé aucune explication, sont également racontés.

Toutefois, outre les manifestations de rois, de reines, de nobles et de vedettes, se trouvent celles de personnages plus modestes, mais dont l'histoire est tout aussi fascinante : des victimes, des suicidés, des meurtriers et même des sorcières. En anglais, le terme « ghost », pour « fantôme », est dérivé de « guest »,

PAGE OPPOSÉE, À GAUCHE : Cette photo a été ingénieusement créée par l'exposition répétée d'une plaque photographique ou d'un film, à la lumière.

PAGE OPPOSÉE À DROITE ET ICI, À GAUCHE : De nombreuses personnalités célèbres ont été liées à des manifestations étranges, même si des centaines d'années les séparent. Parmi elles, Anne Boleyn et Elvis Presley.

CI-DESSOUS : Cette photo, autre cas de double exposition, a été prise vers 1905, par G.S. Smallwood, de Chicago, et montre une petite fille flanquée de deux « esprits ».

Voici le site d'un grand sanctuaire et de plusieurs cercles de pierre qui entourent le village d'Avebury, dans le Wiltshire, en Angleterre. Il s'agit de l'un des sites de monuments néolithiques les plus grands et les plus renommés d'Europe. Il date d'environ 5 000 ans.

En 1916, une femme, debout sur l'une des buttes de terre, regardait vers Avebury. Sa vue était toutefois obstruée par une foire qui avait lieu au village, où les stands et les allées étaient fréquentés par un grand nombre de personnes. La dame a continué de regarder pendant un moment, mais lorsqu'il s'est mis à pleuvoir, elle a quitté les lieux en voiture. Elle a plus tard découvert que la dernière foire à avoir été organisée au village avait eu lieu en 1850.

PAGE OPPOSÉE : Les endroits qui ont connu une longue et turbulente histoire, comme les anciens châteaux, sont-ils vraiment les hôtes de manifestations de fantômes, ou ceux qui prétendent y avoir observé de tels phénomènes laissent-ils simplement leur imagination s'emballer?

À GAUCHE : La fameuse Dame brune de Raynham, photographiée le 19 septembre 1936, au Raynham Hall, dans le Norfolk, en Angleterre. Un homme, qui s'apprêtait à prendre une photo de l'intérieur de la maison, a soudain vu une forme indistincte descendre l'escalier et l'a immédiatement photographiée. Certains croient toutefois qu'il s'agit d'une image truquée.

signifiant « invité ». Alors, même si l'on croit au phénomène, et qu'on prétend l'avoir vécu, nous ne devrions jamais nous en tenir responsables.

On a tenté à plusieurs reprises d'expliquer ce qu'était réellement un fantôme. Est-ce la manifestation ou la réincarnation de nous-mêmes, de ce que nous avons été ou de ce que nous serons dans une autre vie ? Est-ce le résultat d'une situation ou d'un conflit particulièrement intense, sur le plan émotionnel ? Les fantômes sont-ils vraiment des esprits désincarnés qui éprouvent de la difficulté à se séparer de leurs restes mortels ? Les fantômes sont-ils issus des images de notre subconscient, qui les projette pour que les autres puissent les voir ? Il est même

Le château Threave, à Dumfriesshire, en Écosse, se dresse sur une île, au milieu de la rivière Dee, près du château Douglas. Il a déjà été le bastion de l'infâme famille des Douglas (appelée Black Douglas), dont le membre le plus connu est Archibald le terrible. Le plaisir de visiter le château est bonifié par le court trajet en bateau, au cours duquel le convoyeur ne manque pas de raconter à ses passagers les histoires des fantômes du château, l'un d'entre eux étant un fantôme chuchoteur.

La cathédrale d'Exeter, en Angleterre, a la réputation d'être hantée par trois fantômes : celui d'une religieuse, qui apparaît au cours du mois de juillet, vers 19 h, mais qui disparaît rapidement après avoir été vu; celui d'un moine dont on rapporte qu'il fréquente le secteur entourant la cathédrale et, le plus bizarre de tous, une étrange apparition qui serait dotée de trois têtes.

possible que ce que nous voyons soit la prochaine phase de l'existence, celle qui suit la mort.

Mais comment pouvons-nous expliquer ces différents types de manifestations, des apparitions qui pourraient passer pour des êtres vivants à celles qui n'ont pas de tête ou dont l'apparence est encore pire ? Comment peut-on expliquer les trains, les bateaux ou les voitures fantômes ? Et que dire de la pléthore de chiens monstrueux à trois têtes, d'ours, de chevaux — sans compter le grand primate sensé hanter un château écossais ?

Les plus anciennes constructions, et même de plus récentes, les catacombes, sous la ville de Paris, la mystérieuse Maison Winchester, en Californie, gardent toujours des secrets inexpliqués. Les légendes se sont transmises d'une

PAGE OPPOSÉE, À GAUCHE, ET PAGES 26 ET 27 : Les cimetières et les forêts sont des endroits où il est souvent possible d'apercevoir des fantômes.

CI-DESSOUS : Cette photographie a été prise au début des années 1960, à l'intérieur de l'église de Newby, près de Ripon, à North Yorkshire, par le vicaire de l'époque, le révérend K.F. Lord. Au moment de prendre la photo, il n'a pas vu le fantôme, lequel est toutefois clairement apparu au développement.

génération à l'autre, qu'il s'agisse de l'histoire de la « femme qui pleure », de Santa Fe, ou des étranges « enfants radiants » d'Europe. Les dirigeants de la Prusse et de l'Allemagne ont-ils vraiment fait l'objet d'une malédiction, chaque fois que la Dame blanche apparaissait, et un pacte a-t-il réellement été conclu entre Lady Beresford et Lord Tyrone, pacte qui transcendait la vie et la mort ? Ici, la véritable histoire de L'Exorciste peut être racontée, de même que celles de la sorcière de Bell, dans le Tennessee, du poltergeist qui a maudit une jeune femme de la Nouvelle-Écosse, l'incitant à devenir incendiaire et à vivre sa vie en paria, et du fantôme qui aurait assassiné sa victime.

Il semble qu'il soit possible, pour l'entité paranormale, de s'attacher à des

ELIZABETH WHITE ROBERTSON
second daughter of
GILBERT ROBERTSON late
Norfolk Island who died January
1842 aged 24 years
Thou art gone to the grave but we will not deplore thee
Though sorrows and darkness encompass the tomb
The Saviour has passed through its portal before thee
And the lamp of his love is thy guide through the gloom

À DROITE : Le 22 novembre 1990, Derek Stafford a photographié la lumière projetée par l'église à Prestbury, près de Cheltenham, en Angleterre, et a découvert cette silhouette de moine, sur la dernière diapositive. Un « abbé noir » est censé hanter le cimetière.

CI-DESSOUS : Une mère a photographié la tombe de ses enfants, vers 1947. Au développement, on a constaté l'image d'un petit qui ne fait pas partie de ceux qui se trouvent dans cette tombe. Aucune photo d'enfant n'ayant jamais été prise, une double exposition ne peut être envisagée.

PAGE OPPOSÉE, EN BAS, À DROITE : Le détail d'une photographie, prise à Staffordshire, en Angleterre, le 4 mai 1993. Brenda Ray n'a pas remarqué la silhouette vêtue d'une cape noire lorsqu'elle a saisi ce cliché. D'ailleurs, elle n'apparaît pas sur la photo suivante.

À GAUCHE : Lors d'une séance menée par le médium polonais Franek Klushi, à Varsovie, le 25 novembre 1919, un esprit qui s'est matérialisé peut être aperçu, debout, à côté de lui.

CI-DESSOUS : Les apparitions ne sont pas le seul fait des humains, il peut également s'agir d'animaux.

objets inanimés, comme le USS *Hornet*, dont l'équipage a si vaillamment servi, pendant la Deuxième guerre mondiale, ou du canoë fantôme maori, présage d'une violente éruption volcanique.

Un degré de scepticisme est inévitablement lié à un sujet comme celui-ci. Ce qui ne peut toutefois être nié est le fait que plusieurs témoins objectifs ont donné des descriptions identiques de ce qu'ils ont vu. Une autre explication pourrait être celle de l'hallucination collective, provoquée par un stimulus identique.

Plusieurs de ces histoires ont été reprises et, avec le temps, largement modifiées ou embellies, alors que d'autres ont fait l'objet de tellement de recherches qu'on en est venu à une conclusion

La tour Eiffel, qui se dresse au Champ de Mars, à côté de la Seine, est une immense structure de fer, érigée pour l'Exposition universelle de Paris, en 1889. Sa construction a toutefois provoqué de nombreuses réactions par certains des plus éminents personnages de l'époque, tels qu'Émile Zola, Guy de Maupassant et Alexandre Dumas fils, qui la voyaient comme une monstruosité inutile et un accroc au bon goût. On dit qu'un jeune homme a amené sa petite amie en haut de la tour, dans l'intention de la demander en mariage. Elle aurait refusé et il l'aurait poussée en bas. Des gens qui ont visité la tour, durant la nuit, ont prétendu avoir entendu le rire d'une jeune fille, un « non » suivi d'un cri, et le silence.

Le château de Durham, en Angleterre, a été construit par les Normands, au XIe siècle, pour protéger l'évêque de l'endroit d'une attaque de la population anglaise du Nord, toujours amère et désorganisée après la conquête de l'Angleterre par les Normands, en 1066. Il s'agit d'un excellent exemple de motte castrale, chère aux Normands.

On rapporte que le château est hanté par l'épouse de l'ancien prince-évêque de Durham, dont le fantôme a été aperçu dans l'escalier arrière, duquel elle avait fait une chute, se brisant le cou.

CHAPITRE UN

CAS CLASSIQUES

plausible, où chaque élément a un sens — sauf, évidemment, le fantôme lui-même.

IMOGÈNE : UNE HISTOIRE DE FANTÔME VICTORIEN

En Angleterre, dans les années 1860, une grande maison victorienne, qui sera plus tard connue sous le nom de *Garden Reach*, a été construite à Cheltenham, dans le Gloucestershire. Les premiers occupants de la maison ont été les membres de la famille Swinhoe. Malheureusement, Mme Swinhoe est décédée peu de temps après et son mari, Henry, s'est tourné vers l'alcool pour noyer sa peine. Au bout de deux ans, Henry s'est remarié. Imogène, sa nouvelle épouse, était, elle aussi, une buveuse invétérée. Peut-être Henry l'avait-il initiée à l'alcool, quoiqu'il en soit, les deux étaient agressifs et buvaient de façon excessive.

Le fait qu'Henry ait caché les bijoux de sa première épouse quelque part dans la maison semblait être une importante source de conflit. Imogène pensait que les bijoux devaient lui revenir, mais Henry avait plutôt l'intention de les garder pour les enfants issus de son premier mariage, afin qu'ils ne manquent de rien, dans l'avenir.

Imogène a fini par quitter Henry et est morte d'alcoolisme peu de temps après. Sans qu'on sache pourquoi, son corps a été rapporté à Cheltenham, où elle a été enterrée dans un cimetière, non loin de la maison. La mort d'Henry a rapidement suivi et la maison a été vendue à un couple de personnes âgées. Le mari est décédé six mois plus tard et sa veuve est déménagée, laissant la maison vide pendant environ cinq ans. Le Capitaine F.W. Despard a loué la maison en avril 1882, y installant sa seconde épouse, sa grande famille et

Cheltenham Spa, dans le Gloucestershire, est la municipalité de style Régence anglaise la plus représentative d'Angleterre. Sa situation avantageuse favorise la visite des Costswolds, de Stratford-sur-Avon et de Bath.Travis, William B.

plusieurs serviteurs. Les manifestations ont débuté au mois de juillet suivant.

La fille aînée du capitaine, Rosina, n'était certainement pas victime de son imagination. Plus tard, elle allait se qualifier pour devenir médecin et connaître une brillante carrière. Maintenant dans sa vingtaine, elle semblait être le principal témoin des manifestations qui avaient commencé à se produire. L'impassibilité dont Rosina a fait preuve, dans les circonstances, est tout simplement remarquable.

Tout a commencé une nuit, quand Rosina a entendu un bruit à l'extérieur de la porte de sa chambre. Quand elle l'a ouverte, il n'y avait personne. Rosina est sortie dans le corridor, a regardé vers les escaliers, en haut desquels, malgré la noirceur, elle a pu distinguer la silhouette d'une femme de grande taille, vêtue de noir. Rosina a regardé la silhouette descendre les escaliers et l'a suivie jusqu'à ce que sa petite chandelle s'éteigne. La description qu'elle a faite, plus tard, de l'événement, était remplie de détails très utiles : le visage de l'apparition était recouvert d'un mouchoir et sa main gauche était cachée dans la manche de sa robe. Ce qui est encore plus étonnant est le fait que l'apparition n'était pas transparente et semblait, au contraire, très solide. Rosina a également noté que les apparitions ne correspondaient pas à un horaire particulier et pouvaient survenir le jour, comme la nuit.

Au moins six autres personnes de la maisonnée, membres de la famille et serviteurs, ont eux aussi aperçu le fantôme, mais jamais le capitaine et son épouse. Rosina a même souvent vu le fantôme entrer dans la pièce où son père et sa belle-mère se trouvaient, étonnée de constater qu'ils ne semblaient pas avoir connaissance du phénomène. À l'époque, une rumeur a couru qu'il ne s'agissait absolument pas d'un fantôme, mais plutôt de la maîtresse du capitaine, ce qui s'est avéré totalement faux.

Rosina a tenté de photographier la silhouette à de nombreuses reprises et a même essayé de tester sa solidité, en nouant de la ficelle dans les escaliers, mais l'apparition l'a tout simplement traversée, sans la déplacer. Rosina a voulu toucher le fantôme mais, chaque fois, la silhouette s'éloignait, hors de portée. Elle a essayé de lui parler et, à part un petit son étouffé, le fantôme ne semblait pas pouvoir parler.

Au cours des années, l'apparition a commencé à s'estomper et, jusqu'en 1889, seuls ses pas pouvaient être entendus. Les manifestations ont été rigoureusement examinées par la Société de recherche psychique, qui a considéré le rapport des observations de Rosina comme étant le meilleur qui n'ait jamais été produit. De l'avis général, il s'agissait du fantôme d'Imogène Swinhoe, qui cherchait les bijoux qu'elle considérait toujours comme devant lui revenir.

Vers 1892, les Despard sont déménagés, mais d'autres apparitions se sont produites. En octobre 1958, John Thorne, qui vivait dans une maison voisine, a été éveillé par une femme étrange qui se trouvait dans sa chambre à coucher.

Sa description correspondait à celle qu'en avait faite Rosina, 70 ans plus tôt. Le frère de Thorne, William, et son fils adolescent, ont, eux aussi, vu l'apparition à plusieurs reprises.

Toutefois, lorsque William Thorne a pris connaissance du rapport original des manifestations de Cheltenham, il s'est aperçu qu'il n'avait pas vu Imogène Swinhoe, mais bien Rosina Despard.

LE TUNNEL BLACKWALL

Situé dans le secteur est de Londres, le tunnel Blackwall était, lors de son ouverture, le 22 mai 1897, le plus long tunnel du monde. Pendant sa construction, qui a duré six ans, les 641 personnes qui vivaient à Greenwich ont dû être relogées, la destruction de leurs maisons étant nécessaire pour réaliser le projet. Le coût de cette opération, incluant l'achat du terrain et la construction du tunnel lui-même s'est élevé à près de trois millions de dollars canadiens.

L'une des résidences démolies semble avoir appartenu à Sir Walter Raleigh (1522-1618), courtisan, écrivain et explorateur de l'époque élisabéthaine. On dit que la première pipée de tabac à avoir été fumée en Angleterre l'a été par Sir

Raleigh, dans cette maison. Plus tard, Sir John de Pulteney, lord-maire de Londres à quatre reprises, et Sébastien Cabot, explorateur italien, l'ont également habitée.

À l'époque de la construction du tunnel Blackwall, Brunel venait juste d'inventer la méthode du bouclier d'avancement, laquelle, quoique compliquée, était considérée comme très sécuritaire. Elle avait déjà utilisée pour un tunnel de la Tamise et servirait également à la construction de la voie souterraine ferroviaire de Londres. On a rapporté qu'avant que la construction du tunnel Blackwall ne soit amorcée, un homme par jour mourait sur le chantier du Tunnel de la rivière Hudson, lequel relie Jersey City et Hoboken à la ville de New York. En comparaison, seulement sept morts ont été déplorées pendant les six années requises pour la construction du tunnel Blackwall. La circulation dans le tunnel ne cessant d'augmenter, il est rapidement devenu évident qu'un deuxième tunnel devait être créé. La construction de ce dernier a duré sept ans.

En octobre 1972, un motocycliste a offert de prendre un petit garçon de l'Essex, qui faisait de l'auto-stop, et de

l'amener de l'autre côté du tunnel Blackwall, à Greenwich. Mais, une fois à destination, le petit garçon avait disparu. Le motocycliste a donc rapidement fait demi-tour, craignant que son passager ne soit tombé, mais il ne l'a pas retrouvé. Il a donc communiqué avec la famille du garçon pour lui expliquer ce qui venait de se produire. On lui a dit que le petit était décédé plusieurs années plus tôt dans un accident qui s'était produit dans le tunnel, alors qu'il était passager sur une moto.

PIÈCE 22542

Compte tenu du nombre de pièces exposées au British Museum de Londres, il est plutôt surprenant que seulement deux manifestations importantes et un événement étrangement inexplicable n'aient été rapportés.

Les premières manifestations sont liées à la pièce 22542, un sarcophage égyptien. Couvert de hiéroglyphes, il abrite ce qui semble être une belle chanteuse, dédiée au dieu Amun-ra. Il a été découvert dans les années 1880, par des touristes britanniques qui l'ont acheté d'un marchand de Thèbes, en Égypte. On prétend que ce sarcophage est associé à au moins treize décès et que le jour suivant son acquisition, l'un des nouveaux propriétaires a été blessé lors d'un incident de chasse, ce qui a entraîné l'amputation de son bras, alors que son associé a mystérieusement disparu. On ne l'a jamais retrouvé.

Après ces incidents, l'homme à l'unique bras a revendu le sarcophage à un négociant du Caire. Trois autres individus se sont portés acquéreurs de la pièce et sont tous décédés. Le sarcophage a ensuite été envoyé à Londres, où un collectionneur en a fait l'acquisition. Informé de l'esprit maléfique qui émanait du cercueil et tenant compte du conseil qui lui avait été donné de s'en départir, il l'a vendu à quelqu'un

PAGE OPPOSÉE : L'entrée du Tunnel Blackwall.

À GAUCHE : Il ne s'agit pas de la pièce 22542, mais elle lui ressemble.

d'autre qui l'a fait photographier. Le photographe est mort le jour suivant.

On prétend que lorsque les photographies ont été développées, la belle femme que l'on s'attendait à voir apparaître sur l'image s'était transformée en une vieille femme méchante qui semblait regarder tout droit dans la lentille du photographe. Plus tard, le sarcophage s'est retrouvé dans la maison d'une dame. Le matin suivant son arrivée, tous les animaux domestiques étaient morts et toutes les pièces en verre de sa maison avaient inexplicablement été brisées. La dame, malgré des soins médicaux dispensés par des experts, a été plongée dans un état proche d'un profond coma. Lors d'un rare moment de lucidité, elle s'est débarrassée du sarcophage et a recouvré la santé.

Le sarcophage a finalement été envoyé au British Museum en 1889, mais la calamité était toujours active. Au moment de son transport dans l'édifice, l'un des deux porteurs est tombé et s'est brisé la jambe et l'autre est mort la semaine suivante. À cette époque, le sarcophage jouissait d'une grande notoriété et on prétend qu'aucun artiste n'a jamais réussi à le peindre avec précision. La nuit, les gardiens du musée se plaignaient constamment qu'une aura maléfique planait autour du sarcophage et l'un d'entre eux a même déclaré avoir vu une apparition qu'il a décrite comme étant un visage hideux, ridé, d'un vert jaunâtre. Un autre photographe est réputé s'être suicidé après avoir développé des photos du sarcophage. Lorsque la momie a été retirée du sarcophage et envoyée en Amérique, on prétend qu'elle aurait causé le naufrage de *l'Empress of Ireland*, dans la baie du fleuve Saint-Laurent. En 1921, deux tentatives d'exorcisme ont été effectuées et l'apparition aurait été décrite comme ayant un visage plat et méprisant et un corps dont la texture ressemblerait à de la gelée. On croit que les hiéroglyphes avaient un puissant pouvoir magique qui aurait été activé après que le corps eut été retiré et, conséquemment, désacralisé.

Ci-dessous et page suivante : Le British Museum de Londres possède la plus grande collection d'antiquités égyptiennes au monde, à l'extérieur du Caire.

LE MASQUE AFRICAIN

Le deuxième cas de manifestations du British Museum est lié à un masque

africain, qui est censé causer des blessures profondes qui apparaissent sur le corps de celui qui le touche. Il n'y a pas d'explication logique pouvant le justifier : ses bords ne sont pas acérés, mais on croit qu'une malédiction est associée à l'objet.

KATEBIT

Dans une moindre mesure, les restes de Katebit, qui se trouvent dans les Chambres égyptiennes du British Museum, sont prétendues capables de mouvement. Katebit était une prêtresse du dieu Amun-ra et des témoins ont rapporté avoir vu sa tête bouger d'un côté et de l'autre.

LE PRESBYTÈRE DE BORLEY

Le presbytère de Borley a été construit près de la rivière Stour, dans l'Essex, en 1863, pour le révérend Henry D.E. Bull, sa femme et ses quatorze enfants, sur un site déjà chargé d'histoire. Le *Livre du Jugement Dernier* rapporte l'existence d'un manoir Borley antérieure à 1066 et d'une église en bois qui avait probablement été construite à l'époque. Sous les fondations, se trouvaient des tunnels et un complexe de cryptes.

CI-DESSOUS : Le presbytère de Borley, photographié en 1929, avant qu'il ne soit démoli à la suite d'un incendie. Il était connu sous le nom de « résidence la plus hantée d'Angleterre ».

CI-CONTRE : L'église de Borley.

À GAUCHE : Le célèbre chasseur de fantômes, Harry Price.

CI-DESSOUS : Des témoins ont vu ces étranges messages apparaître sur les murs du presbytère de Borley.

Selon la légende, en 1362, un monastère bénédictin a été érigé sur le site. Un moine aurait été amoureux d'une religieuse d'un couvent situé à proximité. Ils avaient l'intention de s'enfuir, mais ont été surpris alors qu'ils s'apprêtaient à partir en charrette, aidés par un ami. Ce dernier a été décapité, le moine pendu et la religieuse, emmurée vivante dans l'une des cryptes.

En 1875, le révérend Bull a fait agrandir le presbytère et les premières activités paranormales ont commencé vers 1885, alors que le fantôme d'une religieuse a été aperçu, fixant la salle à dîner, à travers la fenêtre.

Le révérend Bull est décédé en mai 1892, laissant son poste à l'un des ses fils, lui aussi prénommé Henry. La religieuse a été vue une autre fois en juillet 1900, comme le fantôme d'un cocher. D'autres témoins ont, pour leur part, affirmé avoir plusieurs fois observé la religieuse et le moine ensemble.

Elle portait une cape grise et lui était tonsuré et vêtu d'une robe longue et noire.

Le deuxième Henry est décédé en 1927 et, pendant plusieurs mois, le bâtiment est demeuré inoccupé. Le révérend Smith y a emménagé en 1928 et a commencé, un peu plus tard, à entendre des voix appelant « Carlos », surnom du premier Henry Bull. Des pierres étaient lancées dans les fenêtres, les lumières allumées et éteintes, on entendait des bruits de pas et le fantôme d'un cocher a été vu provenant des grilles du presbytère.

Harry Price, le célèbre chasseur de fantômes, est arrivé sur les lieux en 1929, accompagné d'un journaliste du *Daily News*.

Ils ont vu des pierres et des objets lancés dans une pièce et ont entendu le carillon sonner. Au milieu du mois de juillet, les Smith, n'en pouvant plus, ont décidé de quitter les lieux. La maison a

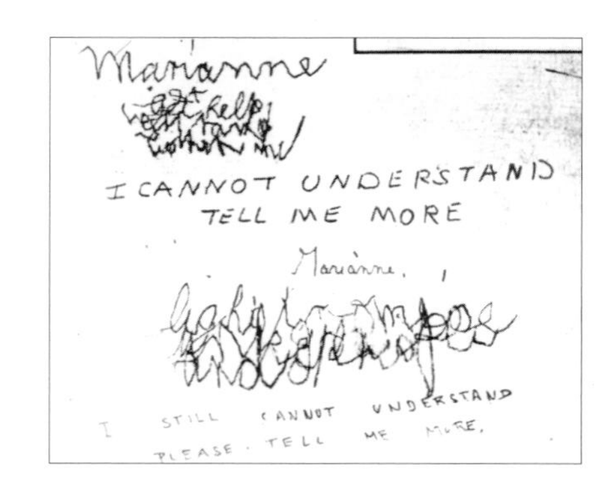

encore une fois été inhabitée, jusqu'en octobre 1930.

Le révérend Foyster y a plus tard emménagé et son épouse, Marianne, allait être au centre des événements les plus bizarres. Entre octobre 1930 et octobre 1935, pas moins de 2 000 phénomènes poltergeist ont été observés. Le deuxième Henry Bull pouvait maintenant être aperçu, des objets de verre étaient brisés et des livres, des pierres et même un fer ont été lancés. Un exorcisme a été tenté mais a manifestement échoué, alors que Marianne a été projetée hors de son lit la même nuit. En 1935, les Foyster aussi en ont eu assez et sont déménagés. La maison est demeurée inoccupée pendant au moins deux ans. Cela n'a toutefois pas fait cesser les esprits frappeurs.

Price a donc décidé de louer la maison pour lui-même et a entrepris, en juin 1937, une inspection qui allait durer un an. Il a reconnu l'atmosphère plutôt froide de certaines pièces, mais n'a jamais vu la religieuse. Une fois l'enquête terminée, le Capitaine Gregson et sa famille ont procédé à l'acquisition du bâtiment, lequel a été la proie des flammes le 27 février 1939. Durant l'incendie, on a déclaré avoir vu des formes fantomatiques dans les fenêtres. Tout ce qui restait de la maison, après l'incendie, a été démoli en 1944.

LES MOINES DE SAINT-BRUNO

En France, au milieu du XIIIe siècle, le roi Louis IX a décidé de faire don d'une résidence aux moines de Saint-Bruno, et six d'entre eux y ont ainsi emménagé. La maison, construite par le roi Robert, était située près du Palais de Vauvert et avait été inoccupée pendant plusieurs années.

Aussitôt que les moines sont arrivés, les manifestations ont commencé. On a pu voir des lumières aux fenêtres, des cris et des sifflements pouvaient être entendus et un homme vert, portant une longue barbe blanche, attaquait les passants.

Le palais appartenant toujours au roi, il y a dépêché un groupe de commissaires pour procéder à une enquête, mais un événement allait confirmer les croyances des plus sceptiques. Les moines de Saint-Bruno ont indiqué qu'ils allaient se charger eux-mêmes des manifestations, le roi leur ayant offert le palais pour en faire leur résidence permanente. Aussitôt que les actes de cession ont été signés, faisant ainsi des moines les propriétaires du bâtiment, les manifestations se sont arrêtées. Bien qu'à l'époque, ce cas était bien connu et jouissait d'une grande notoriété, il semble évident qu'il s'agit là de l'une des premières fois où des prétendues manifestations ont servi à des fins frauduleuses.

LA BICOQUE (VIOLS DE HYDESVILLE)

Située dans le hameau de Hydesville, dans l'état de New York, une petite mansarde a été la scène d'un étrange phénomène. Avant qu'elle ne devienne le lieu de résidence de la famille Fox, elle avait, pendant plusieurs années, été habitée par une succession de locataires, qui s'y trouvaient temporairement, en attendant de trouver une habitation où s'installer en permanence.

Les derniers étaient les Weekman et, bien que John Fox n'en ait pas été informé, ils avaient été témoins d'événements étranges. Des sons ressemblant à ceux d'un viol avaient été entendus et la fille des Weekman, âgée de dix-huit ans, avait déjà été réveillée par une main froide sur son visage, qui l'avait tellement terrorisée qu'elle s'était trouvée dans l'incapacité de bouger ou de crier. À partir de ce moment, la jeune fille avait refusé de dormir dans sa chambre, obligeant ainsi la famille à chercher un autre lieu de résidence.

L'expérience des Fox a débuté, quant à elle, le 31 mars 1848. Ils ont commencé à entendre des bruits apparentés à ceux d'un viol et ont constaté qu'à l'évidence, les deux filles, Margaret (quinze ans) et Kate (douze ans), communiquaient avec l'esprit, qui obéissait quand elles lui ordonnaient d'arrêter.

Leur frère, David, lui aussi intrigué par cette histoire, ne vivait pas dans la maison, mais était décidé, comme sa sœur aînée Leah, qui habitait Rochester, à décoder le viol et à découvrir ce que l'esprit tentait de dire.

Ils ont appris, par un voisin, qu'il s'agissait possiblement de l'esprit de Charles Rosma, dont le corps avait apparemment été enterré sous la maison. Un squelette complet n'a jamais été découvert, mais des fragments d'os et des cheveux ont plus tard été trouvés.

Les observateurs ont commencé à envahir les lieux, dans l'espoir de constater par eux-mêmes les mystérieux phénomènes. Les enfants ont fini par aller vivre chez Leah, à Rochester, mais les esprits les ont tout simplement suivies. Leah a donc décidé de tirer profit de la situation et a loué une salle, exigeant des frais d'entrée de un dollar par personne.

De toutes les personnes qui se sont présentées, aucune n'a été déçue et

PAGE OPPOSÉE : Des fantômes peuvent aussi bien apparaître dans de somptueuses maisons que dans des bicoques délabrées, comme celle qui est illustrée sur cette photo, située à l'Île-du-Prince-Édouard, au Canada.

CI-DESSOUS : Margaret et Kate sont devenues médiums, à l'instar des personnes photographiées ici, mais ont plus tard admis qu'elles avaient tout inventé.

CI-DESSOUS : Le Fort McNair, à Washington, D.C., est âgé de plus de 200 ans.

PAGE SUIVANTE ET PAGES 48 ET 49 : La Jamaïque, résidence de la Sorcière blanche de la Jamaïque, la célèbre Annie Palmer, pendant les années 1700.

plusieurs ont affirmé avoir elles-mêmes entendu les viols. Des médecins ont commencé à s'intéresser à ce cas en 1850 et ont indiqué que les bruits devaient provenir des filles. Ils les ont fait asseoir, les pieds écartés et séparés par des coussins. Les viols ont cessé, mais dès que les coussins ont été retirés, ils ont immédiatement repris.

Margaret et Kate sont finalement devenues médiums, exigeant certains frais pour des séances publiques et encore plus pour les séances privées. Elles ont également développé des compétences dans l'écriture en miroir.

En octobre 1888, toutefois, Margaret a admis que toute l'histoire était une fraude et que les sons étaient faits à l'aide des articulations de leurs genoux. À cette époque, les deux filles vivaient dans la misère et avaient développé une dépendance à l'égard de l'alcool. Plus tard, Margaret s'est rétractée et, jusqu'à maintenant, personne ne peut affirmer avec certitude ce qui s'est réellement passé.

LE BÂTIMENT 20

Le Fort McNair a initialement été construit sur une pointe de terre, où les rivières Potomac et Anacostia se rejoignent. Les premiers bâtiments ont été érigés en 1794 et, en 1826, un plus grand terrain a été acquis dans le nord, pour y construire le premier pénitencier fédéral. Un hôpital a ensuite été bâti tout près, en 1857.

Le pénitencier est celui où Mary Surratt a été pendue. Elle faisait partie des conspirateurs du complot visant à assassiner Abraham Lincoln. Bizarrement, comme nous le verrons plus loin, ce sont les renseignements fournis par le fils de Mary Surratt qui ont mené à la condamnation à mort de sa propre mère.

John Surratt junior, un courrier confédéré, était chargé de livrer les messages portant sur les mouvements des troupes de l'Union, pendant la guerre de Sécession. Il a été présenté à John Wilkes Booth en décembre 1864 et a accepté de participer au complot pour tuer le président. Il a, par la suite, été impliqué dans une tentative avortée d'enlever Lincoln, en mars 1865.

Les allées et venues de Surratt, le soir où John Wilkes Booth a tiré la balle fatale qui allait tuer le président, le 14 avril 1865, au *Ford's Theatre* de Washington, D.C., sont sujettes à la spéculation. Surratt a déclaré qu'il était à New York et qu'il s'était enfui au Canada après avoir entendu la nouvelle de l'assassinat. Il y était toujours lorsque sa mère a été pendue le 7 juillet 1865.

Pour sa mère, toutefois, l'histoire est complètement différente. Des rumeurs subsistent encore de nos jours à l'effet que plusieurs des soi-disant conspirateurs ont été victimes d'un coup monté pour cacher la vérité. Mais peu importe, la vie de Mary Surratt a pris fin à quelques mètres de l'endroit où le bâtiment 21 du Fort McNair se trouve aujourd'hui.

Le bâtiment 20 a abrité tous les conspirateurs qui ont été condamnés à la peine de mort après leur procès. La cellule de Mary Surratt était située au troisième étage, où une présence pouvait sans aucun doute être ressentie et où les fenêtres grinçaient constamment, comme si quelqu'un tentait d'entrer ou de sortir de la pièce. Au fil des années, plusieurs témoins ont affirmé avoir entendu des sanglots, dont le son s'apparente à celui qui est produit par un grand vent dans un endroit clos.

LA SORCIÈRE BLANCHE DE JAMAÏQUE

Rose Hall a déjà été la maison de la prétendue Sorcière blanche de Jamaïque. Elle se dresse majestueusement, au centre de la plus importante plantation de canne à sucre de l'île. Cette résidence est hantée par le fantôme d'Annie Palmer, une blanche dans le sens ethnique du terme, née en France. Annie terrorisait les esclaves qui travaillaient sur sa plantation, les matant à l'aide d'un bâton de fer. La défiance ou l'insolence perçue était punie par des flagellations publiques, la torture et même la mort. Elle avait l'habitude de prendre certains esclaves comme amants, avant de les tuer lorsqu'elle s'en fatiguait. On dit même qu'elle a assassiné son propre mari.

Certains affirment qu'Annie a été tuée par son contremaître esclave, expert des traditions vaudou, et qu'elle a, pendant un certains temps, utilisé ses propres pouvoirs magiques pour se protéger. Quand Annie a assassiné le fiancé de la fille de son contremaître, après l'avoir obligé à la satisfaire sexuellement, une bataille surnaturelle s'est déclenchée entre le contremaître et sa maîtresse, bataille qu'Annie a finalement perdue. Des rituels

vaudou ont été effectués sur sa tombe, mais de façon imprécise, faisant en sorte que son esprit revient sans cesse.

Les médiums ont découvert un esprit saisi de terreur, lorsqu'ils ont tenté de communiquer avec elle. Cet esprit n'a pas quitté les lieux, malgré des exorcismes répétés.

LE PIANO

Au coin de la rue Racine et de l'avenue Montaigne, en banlieue de Paris, se trouvait une élégante maison bourgeoise de trois étages, construite dans les années 1860. Initialement réservée à l'usage de Napoléon III, elle a ensuite été acquise par l'acteur et producteur Robert Lamoureux.

En 1949, un diplomate américain en poste à Paris a loué la maison et y a emménagé avec son épouse et ses quatre enfants. Peu de temps après, il a été appelé à l'étranger pour affaires. C'est à ce moment-là que d'étranges manifestations ont commencé à se produire.

L'épouse a entendu de la musique aux petites heures du matin. Au début, elle a cru que cela provenait de l'extérieur, avant de se rendre compte que la musique provenait de l'étage situé plus bas. Elle était toutefois trop effrayée pour aller jeter un coup d'œil. La même chose s'est produite la nuit suivante, et toutes les autres nuits. Elle a fermé le couvercle du piano et rangé les feuilles de musique mais, chaque nuit, on pouvait entendre la même musique. À son retour, le diplomate a appris ce qui s'était passé.

Lors d'une conversation, un voisin a raconté à la femme du diplomate comment sa famille et lui avaient été réveillés par la sonorité d'un cor de chasse et, graduellement, les morceaux de l'histoire ont été rassemblés. Il semble que Napoléon III aurait installé une maîtresse dans cette résidence et, après la rupture, l'aurait laissée seule avec son piano. D'ailleurs, un des enfants du couple, en la présence d'une bonne, avait déclaré avoir vu une femme dans un coin de la pièce où se trouvait le piano.

La maison a finalement été acquise par des promoteurs immobiliers et, dans les années 1960, sa détérioration était telle que des réparations ne pouvaient être envisagées. Un inspecteur spécialisé dans les phénomènes paranormaux a visité la maison juste avant sa démolition et a affirmé avoir vu des petites lumières vaciller et d'autres formes étranges se mouvoir dans l'escalier.

LA DAME BLANCHE DE WOLFSEGG

On peut s'attendre à ce que soit hanté un château fort du XIIe siècle et celui de Wolfsegg, en Bavière, ne déçoit pas. Construit en 1028, il a, jusqu'en 1918, appartenu à une succession de familles nobles, certaines d'entre elles pouvant au mieux être décrites comme des clans de voleurs, qui profitaient des voyageurs passant sur leurs terres.

Les victimes d'un triple meurtre, qui s'est probablement produit au XIVᵉ siècle, hantent toujours le château, accompagnés du fantôme de la jeune épouse du propriétaire de l'époque, prise en flagrant délit d'adultère par son mari. Elle a été assassinée par la suite par des parents de son amant. Une histoire similaire explique peut-être la présence de l'archétype Dame blanche qui se déplace toujours dans les corridors du château.

PARALLÈLES ÉTRANGES

L'un des rares cas où des éléments de preuve photographiques sont crédibles est celui des prétendus fantômes des moines d'Aetna Springs, en Californie, un secteur qui, de nos jours, a en grande partie été cédé pour y construire un terrain de golf.

Les fantômes de huit moines vêtus de robes blanches, le visage tordu de douleur, ont été vus en train de marcher sur le terrain de golf. Certains croient qu'il s'agit de moines Dominicains, qui ont été torturés à mort par leurs rivaux, les Franciscains.

Les Franciscains espagnols étaient reconnus pour les traitements cruels qu'ils infligeaient aux Amérindiens qu'ils voulaient convertir et les Dominicains sont censés avoir tenté de sauver les Autochtones de l'emprise de leurs rivaux. Les images de ces moines sont saisissantes et leurs robes donnent l'impression d'être en feu. On croit qu'ils ont été exécutés sur le bûcher et qu'ils ont été torturés et crucifiés avant de mourir.

D'étranges parallèles existent également dans le comté de Napa, où se trouve Aetna Springs. On se rappellera que l'église d'Unification du révérend Sun Myung Moon y était installée des années 1970 aux années 1990. Le lieu n'est plus associé aux Dominicains ou à la secte de Moon, mais des esprits s'y sont sans aucun doute toujours égarés, errant depuis plus de 500 ans.

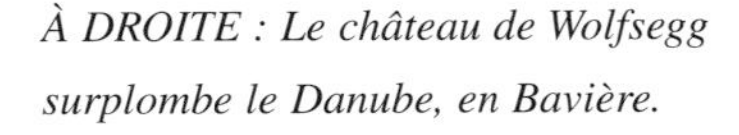

À DROITE : Le château de Wolfsegg surplombe le Danube, en Bavière.

PAGES 52 ET 53 : L'Université de Harvard, à Cambridge, dans le Massachusetts, détient elle aussi sa part de fantômes. Thayer Hall, une ancienne usine de textile, est hanté par des fantômes vêtus de robes de l'époque victorienne qui passent à travers des portes qui ont depuis longtemps cessé d'exister.

CHAPITRE DEUX
FANTÔMES CÉLÈBRES

LADY MARY HOWARD

Lady Mary Howard, qui a vécu au XVIIe siècle, était destinée à ne jamais connaître la paix, dans la vie comme dans la mort. Elle était la fille de John Fitz, un homme corrompu et d'une richesse extrême, qui avait tué deux hommes à Tavistock, aux frontières du Dartmoor, en Angleterre.

En raison des activités de son père, Mary a rapidement été détestée et elle n'était âgée que de neuf ans quand son père s'est suicidé, après être devenu fou à l'âge de trente ans. Ayant hérité de sa fortune, Mary a été forcée, par le roi Jacques Ier, d'épouser Sir Alan Percy, alors qu'elle n'avait que douze ans.

Sir Alan a été le premier de quatre maris auxquels Mary survivrait. Percy est mort d'une pneumonie, la laissant libre d'épouser Thomas Darcy, un homme qu'elle aimait profondément. Malheureusement, il est décédé quelques mois après le mariage. Les deux maris qui ont suivi ont tenté par tous les moyens de s'approprier sa fortune, mais Mary était maligne et en avait dissimulé la plus grande partie.

À la mort de son quatrième mari, Mary est retournée à *Fitzford House*, la résidence familiale, demeurée déserte depuis la mort de son père. Elle revenait, cette fois, avec son fils adoré, George, avec qui elle souhaitait désormais vivre paisiblement. Toutefois, quelques mois plus tard, George a trouvé la mort. Mary, le cœur brisé, l'a suivi dans la tombe exactement un mois plus tard. Malheureusement pour la mémoire de Mary, la méchanceté de son père et les décès de ses maris successifs, pour lesquels elle avait inévitablement été blâmée, ont contribué à la naissance d'une légende.

Ci-dessous : Le château d'Okehampton, dans le Devon, où le fantôme de Mary Howard procède à une tâche sans fin.

Page suivante : Le Dartmoor, dans le Devon, près de l'endroit où le père de Mary, John Fitz, a été impliqué dans un double meurtre.

Le château de Windsor, le plus grand d'Angleterre, est la résidence royale

Le château de Windsor, le plus grand d'Angleterre, est la résidence royale depuis le règne de Guillaume Ier, au IIe siècle. Édouard III l'a fait reconstruire, au XIIIe siècle, et plusieurs améliorations y ont été apportées par les monarques qui se sont succédés.

Le château a une véritable pléthore d'histoires de fantômes, de suicides, de sorcellerie et de possessions démoniaques à raconter. L'esprit légendaire de Herne le chasseur peut souvent être observé, en train de galoper sur son cheval dans le grand parc de Windsor, accompagné de sa meute de chiens. Herne était le chasseur favori de Richard II. Pour sauver la vie de son roi qui allait être tué par un cerf, Herne se plaça devant et fut grièvement blessé. Un sorcier local, capable de le soigner au moyen de la magie, lui a signifié qu'il devait attacher les bois de l'animal mort sur sa tête. En retour, Herne devait renoncer à ses compétences de chasseur, ce qu'il accepta. Cette grande perte allait toutefois le rendre fou. Un jour, il s'est pendu à un chêne, les bois toujours fixés sur sa tête.

Un autre esprit célèbre est celui d'Henry VIII et le fantôme de sa deuxième épouse, Anne Boleyn, qu'il a fait décapiter, a été vu en train de regarder par la fenêtre, dans le cloître de Dean. Elle porte une robe noire et un grand châle recouvre ses épaules.

Dans tout le comté de Devon, les histoires parlent d'un cocher fantôme, fabriqué bizarrement avec les os des époux décédés de Mary. D'innombrables personnes ont raconté l'avoir vu, traversant le château d'Okehampton, où le fantôme de Mary est condamné à retirer, chaque nuit, un brin d'herbe du terrain où se trouve le château, jusqu'à ce qu'il n'en reste plus un seul.

AARON BURR

Aaron Burr est né dans le New Jersey, en 1756. Bien que sa famille compte plusieurs hommes d'église célèbres, Aaron n'a pas répondu à l'appel de la profession. Il a plutôt choisi d'étudier le droit, milité pour l'indépendance et servi dans l'Armée rebelle contre les Britanniques, durant la guerre de l'Indépendance des États-Unis d'Amérique. Il a failli devenir président des États-Unis, perdant la bataille au profit de Thomas Jefferson. Il a pris le poste de vice-président, mais a rapidement développé une haine profonde à l'égard d'Alexander Hamilton.

Le sentiment était mutuel et, si Hamilton avait peu d'estime pour Jefferson, sa haine pour Aaron Burr était bien plus intense. Hamilton s'était joint à Jefferson, faisant perdre, pour Burr, la chance de devenir président. La rivalité allait se terminer dans le sang.

Le 11 juillet 1804, Hamilton et Burr se sont affrontés en duel. La blessure de Hamilton lui a été fatale. Il a été transporté à New York, où il est mort, plusieurs jours plus tard. Le duel étant un acte illégal, Aaron a été forcé de fuir, après que des mandats d'arrestation eurent été émis contre lui. Même mort, Hamilton avait encore quelques amis puissants qui détestaient Burr, presque autant que lui.

Il est également important de mentionner que le 27, Jane Street, à Greenwich Village, où Hamilton est décédé, avait été le centre d'activités poltergeist dans le passé.

Burr s'est finalement trouvé dans l'obligation de quitter les États-Unis mais, en 1814, sa fille, Theodosia, l'a persuadé de revenir. Il devait accoster à New York, où elle le rejoindrait. Pour ce faire, elle s'est embarquée sur un bateau qui s'est perdu en mer, lors d'une tempête qui a frappé le Cap Hatteras, en Caroline du Nord.

PAGE OPPOSÉE, EN HAUT : Thomas JEFFERSON (1743-1826), le troisième président des États-Unis.

PAGE OPPOSÉE, EN BAS : Jane Street, où Alexander Hamilton est décédé.

CI-DESSOUS : Le fameux phare de Cap Hatteras.

Son fantôme peut encore être vu, perdu sur la côte.

Burr s'est réinstallé à New York et, à l'âge vénérable de 77 ans, a épousé Eliza Jumel, en 1833. Elle était riche, de vingt ans sa cadette et avait un passé plutôt coloré. Elle avait déjà été sans le sou, mais s'était mariée à Stephen Jumel, un riche new-yorkais. Des rumeurs couraient à l'effet qu'elle l'avait assassiné et que son fantôme hantait la résidence qu'il avait construite.

Eliza et Burr se sont mariés peu de temps après qu'elle soit devenue veuve, mais ont divorcé moins d'un an plus tard, quelques jours avant la mort de Burr, à l'âge de 78 ans. Eliza a continué d'habiter la résidence Jumel, à New York, où elle est morte à l'âge de 93 ans, en 1865. Le fantôme d'une vieille dame peut parfois être aperçu sur le balcon de cette magnifique maison, d'où elle effraie les enfants pour les éloigner.

ABRAHAM LINCOLN

Il n'est pas surprenant qu'en raison de sa mort violente et de la formidable empreinte qu'il a laissée sur la société et l'histoire américaines, Abraham Lincoln ait été identifié comme un fantôme. Il a vécu à une époque où le spiritisme était populaire : son épouse était particulièrement intéressée par le sujet et lorsque leur fils, William, est décédé, Mary Todd Lincoln a organisé des séances de spiritisme qui ont eu lieu à la Maison-Blanche. Abraham Lincoln a assisté à certaines d'entre elles et on dit qu'un médium l'avait mis en garde, pendant une phase particulièrement difficile pour le Nord, lors de la guerre de Sécession.

Lincoln est réputé avoir rêvé à son propre meurtre et, dix jours avant sa mort, s'être vu dans son cercueil.

Il a également raconté à des amis qu'il avait rêvé qu'il montait à bord d'un bateau. Lincoln n'a pas été le seul à prévoir son assassinat par John Wilkes Booth, le 14 avril 1865. Un de ses gardes du corps, W.H. Crook, l'a supplié de ne

À GAUCHE : Abraham Lincoln (1809-1865).

CI-DESSOUS : John Wilkes Booth a assassiné le président Lincoln, le 14 avril 1865.

PAGE OPPOSÉE, À GAUCHE : La reine Wilhelmine, des Pays-Bas.

PAGE OPPOSÉE, À DROITE : La Maison-Blanche, où le fantôme d'Abraham Lincoln peut souvent être ressenti ou aperçu.

pas se rendre au théâtre ce soir-là.

Peu après l'assassinat de Lincoln, on a rapporté avoir entendu des bruits de pas fantomatiques à la Maison-Blanche et Grace Coolidge, épouse du 13e président, a aperçu le fantôme de Lincoln, regardant à l'extérieur d'une fenêtre du bureau ovale. Durant la présidence de Roosevelt, la reine Wilhelmine, des Pays-Bas, a clairement vu Lincoln portant un haut-de-forme et se tenant dans un cadre de porte. Lorsqu'elle a rapporté l'événement à Roosevelt, il lui a répondu qu'elle demeurait dans la chambre de Lincoln et qu'elle n'était pas la première à déclarer l'avoir vu.

Lincoln a été vu assis sur le lit de la chambre, en train de mettre ses bottes, et un autre rapport indique que son fantôme a déjà tenté d'incendier le lit. Le président Harry Truman, s'il n'a jamais vu le fantôme, a ressenti sa présence et entendu frapper à la porte. Plusieurs photos frauduleuses ont été fabriquées après la mort de Lincoln, montrant son prétendu fantôme, flottant, dans l'arrière-plan.

Le spectre de Lincoln aurait également été aperçu à Springfield, Illinois, où il a été enterré. Un train fantôme, le soi-disant cortège funèbre de Lincoln, noir et manœuvré par des squelettes, a été vu, traversant l'état de l'Illinois.

ROBERT E. LEE

L'un des plus célèbres contemporains de Lincoln était le Général confédéré Robert E. Lee. Grâce à son génie tactique, Lee a réussi à protéger la Confédération, au moyen d'innombrables batailles contre des ennemis beaucoup plus nombreux et plus puissants. En avril 1865, il a toutefois été forcé de se rendre, après la bataille d'Appomattox. Au contraire de nombreux autres généraux, Lee n'est pas mort de façon violente, mais son esprit peut être vu dans la maison de son enfance, à Alexandria, en Virginie. On dit qu'il apparaît comme un jeune enfant espiègle, susceptible de déplacer des objets et de sonner aux portes. En d'autres circonstances, il a été vu accompagné du fantôme d'un chien noir et de ceux de ses deux sœurs.

JESSE JAMES

Jesse Woodson James est né en septembre 1847. Bien qu'il ait été injustement considéré comme un dangereux bandit armé, Jesse James est sans aucun doute l'un des hors-la-loi les plus célèbres d'Amérique.

PAGE OPPOSÉE, À GAUCHE : Robert E. Lee.

PAGE OPPOSÉE, À DROITE : Jesse James.

PAGE OPPOSÉE, EN BAS : Le Palais de justice d'Appomattox, Virginie, où le Général Lee s'est rendu au Général Ulysse S. Grant.

À DROITE : Jesse James dans son cercueil.

CI-DESSOUS : Frank James, le frère de Jesse.

Jesse et son frère, Frank, faisaient partie du gang de Quantrill, un groupe de guérilleros qui a terrorisé le Missouri, durant la guerre de Sécession.

Les frères James ont grandi sur une ferme de Kearney, Missouri, et c'est à cet endroit que le fantôme de James peut parfois être aperçu. La famille était attachée à ce lieu où les garçons avaient connu autant de moments heureux que d'événements tragiques. La mère de Jesse, Zeralda, s'est mariée à trois reprises et a eu huit enfants à la ferme, mais cet aussi à cet endroit que la milice de l'Union a flagellé Jesse et où il a été témoin de la pendaison de son beau-père.

C'est aussi à la ferme qu'Archie Samuel est décédé aux mains des détectives Pinkerton. Zeralda a perdu sa main droite dans le même incident.

Une récompense 10 000 $ ayant été promise pour sa tête, les membres du gang de Jesse l'ont finalement assassiné par balle. Son corps a été enterré à la ferme, mais a plus tard été déplacé au cimetière Mont Olivet. Les esprits hantent la ferme et des lumières peuvent être vues en train de se déplacer, tant dans la maison qu'autour, à la tombée de la nuit. Des pleurs, des tirs et des sabots peuvent également se faire entendre, réminiscences de la guerre de Sécession, mais les caméras de surveillance n'ont capté aucun de ces phénomènes.

LIZZIE BORDEN

La maison Borden, à Fall River, dans le Massachusetts, est aujourd'hui un gîte touristique, mais c'est à cet endroit que, le 4 août 1892, Lizzie Borden a assassiné son père, Andrew, et sa belle-mère, Abby, dans un double meurtre horrible et sanglant :

« Lizzie Borden prit une hache
Et frappa 40 fois sa mère
Elle réalisa l'horreur de sa tâche
Et frappa 41 fois son père. »

L'opinion est encore divisée de nos jours au sujet de Lizzie Borden et des motifs qui l'ont poussée à assassiner ses parents. Quelque temps avant le meurtre, elle s'était apparemment exercée à manier une hache en décapitant son propre chat.

À l'issue de son procès, Lizzie a été acquittée et son cas continue de faire l'objet de nombreuses spéculations.

À l'origine, la maison avait été construite en 1845, pour abriter deux familles. Au contraire de plusieurs autres scènes de crime, le bâtiment est demeuré intact et est détenu par des intérêts privés depuis plusieurs dizaines d'années. De nombreuses personnes ont rapporté avoir entendu une femme pleurer la nuit, alors que d'autres ont vécu l'expérience effrayante d'être bordés dans leur lit, la nuit, par une femme, ou de voir leurs chaussures bouger sur le plancher.

Ces apparitions semblent être l'œuvre d'Andrew et d'Abby, plutôt que celle de Lizzie Borden. Ils semblent trouver plaisir à faire vaciller les lumières et, chaque fois que des enquêteurs spécialisés en phénomènes paranormaux se présentent, leur équipement d'enregistrement est éteint et leurs caméras allumées.

JEREMY BENTHAM

Jeremy Bentham, philosophe anglais excentrique décédé en 1932, a été le cofondateur de la *University College – Gower Street*, à Londres. Il portait toujours un chapeau à larges bords et des gants blancs. Il complétait le tout par une canne qu'il appelait « Dapple ».

Dans son testament, Bentham a demandé que son corps soit utilisé pour la recherche médicale et qu'après sa dissection, son corps soit réassemblé, vêtu de ses propres vêtements et qu'on y dépose une reproduction de sa tête, en cire. Il devait ensuite être assis sur sa chaise préférée, tenant Dapple dans sa main, dans une vitrine en acajou, près de la porte d'entrée du collège.

À GAUCHE : Le corps embaumé de Jeremy Bentham

PAGE OPPOSÉE : University College, Londres. Jeremy Bentham en était le cofondateur.

FACULTY OF MEDICAL SCIENCES

Sur Prinsengracht, à Amsterdam, la maison d'Anne Frank, auteure d'un journal intime durant la Deuxième guerre mondiale, est devenue un musée dédié à sa mémoire.

Anne, dans son journal, faisait référence à « l'achterhuis », ou arrière de la maison, comme étant l'annexe secrète, camouflée par des bâtiments qui en couvraient les quatre côtés. Cette cachette était l'endroit idéal pour Otto Frank, sa femme Édith, ses deux filles (dont Anne était la benjamine) et quatre autres personnes de race juive, qui cherchaient à se protéger de la menace nazie, pendant l'occupation allemande des Pays-Bas, durant la Deuxième guerre mondiale. Ils ont finalement tous été arrêtés et Anne est morte du typhus, au camp de concentration de Bergen-Belsen, quelques jours après sa sœur, Margot. Son père, Otto, seul survivant du groupe, est revenu à Amsterdam à la fin de la guerre et a trouvé le journal intime de sa fille, intact.

Les visiteurs de l'annexe ont ressenti des températures plus froides, dans certains secteurs de la maison et le fantôme d'Anne a été vu en train de regarder par la fenêtre de derrière, autour de minuit. On a également rapporté le son d'un grondement dans le sous-sol. Cela est relié à un événement qui s'est produit alors qu'Anne était toujours vivante : un sac de fèves non cuites était accidentellement tombé des escaliers.

Le fantôme de Bentham a été vu en plusieurs circonstances, parfois en train de taper la vitrine de verre de sa canne, indiquant probablement qu'il désire reposer désormais dans une sépulture plus appropriée. Un professeur a récemment affirmé avoir vu le fantôme de Bentham, qui s'est retourné et a marché dans sa direction. Terrifié, le professeur s'attendait à une collision imminente, mais l'apparition est simplement passée au travers lui, avant de disparaître.

HARRY PRICE

L'un des plus célèbres chasseurs de fantômes, Harry Price, est le fondateur du Laboratoire national de Recherche psychique de l'Université de Londres, et a mené plusieurs enquêtes en parapsychologie (voir le Manoir Borley, p. 40). Il n'est donc pas surprenant qu'à sa mort, en 1948, Price lui-même devienne un fantôme.

Pendant sa vie, Price avait juré que, si cela était possible, il reviendrait, mais il n'avait certainement pas pensé que cela se ferait d'une façon aussi extraordinaire. Price est apparu pour la première fois en Suède, sous la forme d'un vieil homme chauve, debout, à côté du lit d'un jeune homme. Le Suédois ne parlait pas anglais mais l'apparition a trouvé le moyen de lui dire qu'il se nommait Harry Price. Le Suédois, sa femme et sa fille, ont revu le fantôme régulièrement. Il l'a décrit comme ne correspondant pas tout à fait à l'idée qu'on se fait généralement d'un fantôme, mais comme quelque chose de plus tangible, ce qui l'a incité à le photographier. Au développement, toutefois, le fantôme n'apparaissait pas. Le Suédois a également décidé d'apprendre l'anglais pour pouvoir communiquer avec le fantôme de Price.

L'esprit a averti l'homme qu'il souffrait d'un problème médical sérieux et qu'il devrait consulter un médecin. La chance étant de son côté, le Suédois a rencontré un médecin qui s'intéressait à la recherche psychique et qui n'a eu aucun doute que l'apparition était bel et bien réelle. Encore maintenant, personne ne peut comprendre pourquoi Harry Price, un Anglais, est apparu à un non anglophone, dans un pays étranger.

CI-DESSUS : Harry Price, le plus célèbre chercheur en parapsychologie, dont le cas le plus connu est celui des phénomènes qui se sont produits au Manoir Borley.

PAGE OPPOSÉE : Les séances étaient populaires, dans les années 1800, et celles qui étaient tenues par le médium Jonathan Coons, ne faisaient pas exception. Ici, le groupe tente de faire léviter un instrument de musique.

LA FAMILLE KING

Le monde des esprits de la famille King, présenté dans une série de cas bien documentés, tire ses origines dans une cabane en bois rond d'Athens County, dans l'Ohio, en 1852. À l'époque, Jonathan Coons, prétendu médium maîtrisant également l'art de la mise en scène, était propriétaire de la maison. Coons feignait probablement d'être médium, mais cela ne l'a pas empêché de connaître une immense popularité auprès du public.

Le premier esprit à se manifester, lors d'une séance de spiritisme dirigée par Coons, a été celui de John King, un fantôme coloré qui, dans sa vie, aurait été un pirate, mais le membre le plus populaire de la famille était sans conteste Katie. Elle serait également apparue à d'autres médiums, dont l'Italienne Eusapia Palladino et l'Anglaise Florence Cook. Cette dernière détient le crédit d'avoir été le premier médium à avoir matérialisé un esprit dans toute sa forme humaine, mais certains attribuent cet exploit à une supercherie — la manipulation habile d'un drap. Quoiqu'il en soit, des photographies ont été prises et le fait qu'elles soient truquées ou non est encore sujet aux conjectures.

Sir Willam Crookes, bien que lui-même adepte du spiritisme, n'était pas dupe. Il était associé à la découverte du rayon X et présidait la Société Royale,

la plus importante institution scientifique au monde.

En 1874, Sir Crookes a conclu une entente avec Florence Cook, laquelle l'autorisait à procéder à un examen scientifique des phénomènes. Jusqu'à la fin de l'entente, plusieurs séances ont eu lieu dans la résidence de Crookes, dans un environnement contrôlé. Le 29 mars, à l'occasion d'une séance, Crookes et un autre scientifique ont pu observer Florence Cook, recroquevillée sur le sol, la silhouette de Katie King debout, derrière elle. Un scientifique de la Société Royale a utilisé une lampe phosphorescente pour illuminer les silhouettes et Crookes a été capable de prendre une série de photographies au cours des semaines suivantes. Une photo, qui montrait Florence et Katie King ensemble, est malheureusement disparue depuis.

Trois hypothèses peuvent servir d'explication à ces étranges phénomènes : Katie King était réellement un fantôme; Cook a commis une fraude en trompant tout le monde par des manipulations bien pensées; Crookes lui-même a participé à la supercherie.

LES REINES VAUDOU

Marie Laveau, reine vaudou de la Nouvelle-Orléans, est censée hanter le site où se dresse le 1020, St.Ann Street, et on prétend qu'elle s'adonne toujours à la magie dans sa tombe. Marie était sincère quant à sa croyance en l'occultisme et en ses propres talents magiques. Fervente catholique, elle intégrait la magie et les rites traditionnels africains à sa religion.

De l'histoire locale de la Nouvelle-Orléans, deux Marie ressortent : l'une est une femme libre de couleur, née en Nouvelle-Orléans, au milieu des années 1790, et l'autre est une femme beaucoup plus jeune, qu'on croit être la fille illégitime de Marie Laveau.

Elles avaient une apparence tellement similaire qu'à la mort de la mère, sa fille a pris sa place, les deux fusionnant parfaitement ensemble, créant l'illusion d'être une seule personne, dotée d'une jeunesse éternelle.

Marie Laveau était coiffeuse, ce qui explique pourquoi elle connaissait bien ses riches clients. Crainte et respectée, elle détenait de vastes connaissances en

À GAUCHE : La plupart des connaissances que Marie Laveau détenait, dans le domaine des rituels magiques, provenaient d'Afrique. Une cigogne séchée est montrée ici, destinée à être vendue au marché vaudou de Lomé, au Togo.

PAGE OPPOSÉE : La Nouvelle-Orléans, en Louisiane, où Marie Laveau et sa fille ont vécu et immortalisé leurs rituels magiques.

sorcellerie et en potions de toutes sortes, mais son véritable pouvoir résidait dans le contrôle qu'elle exerçait sur ses nombreux informateurs, dont plusieurs, serviteurs chez ses clients, avaient trop peur d'elle pour ne pas lui dire tout ce qu'ils savaient.

L'exploit le plus célèbre de Marie Laveau concerne le procès pour meurtre d'un jeune Créole, dont on prévoyait qu'il allait se terminer par un verdict de culpabilité. Marie avait été approchée par son père, très fortuné, qui lui avait promis tout ce qu'elle désirait, si elle sauvait son fils. Marie a accepté, demandant à l'homme de lui remettre, en échange, sa résidence de la Nouvelle-Orléans. L'homme lui a signifié son accord et Marie est allée placer des grigris dans la salle d'audience. Lorsque le garçon a été acquitté, elle a reçu la maison et est devenue encore plus célèbre.

Certains affirment que Marie était un loup-garou, alors que d'autres prétendent qu'elle s'est transformée en corneille et qu'on peut la voir voler au-dessus du vieux cimetière de Saint-Louis, où elle a été enterrée, dans la crypte familiale. Encore de nos jours, les visiteurs visitent sa tombe et y laissent des demandes et des offrandes vaudou.

Knebworth House, Hertfordshire, Angleterre. Sir Robert Lytton a acheté cette maison à la fin du XVe siècle, la transformant graduellement en un manoir de style Tudor, qui est demeuré sensiblement le même, pendant 300 ans. À partir du XIXe siècle, diverses altérations ont été apportées par les membres de la famille (incluant Sir Édouard Bulwer-Lytton, responsable de l'extérieur de style gothique excentrique et plutôt fantaisiste), jusqu'à ce que la maison ait l'apparence qu'on lui connaît aujourd'hui.

Sir Édouard Bulwer-Lytton, célèbre romancier et dramaturge de l'époque victorienne, intéressé par les sciences occultes et lié à l'Ordre hermétique de l'Aube dorée, avait invité le médium Daniel Dunglass, à Knebworth. Des séances ont été tenues, entraînant des phénomènes étranges. Depuis, la présence fantomatique d'Édouard a été ressentie par plusieurs personnes dans la maison, habituellement dans le cabinet de travail et dans le salon, quoiqu'il n'ait jamais été vu.

Le son d'une roue qui tourne peut également être entendu dans la maison et est réputé provenir d'un esprit appelé Jenny, jeune femme qu'on avait confinée à sa chambre, pour l'empêcher de voir son amoureux. On raconte aussi l'histoire d'un « enfant radiant », esprit associé à la famille Lytton. Ces spectres sont assez courants dans d'autres vieilles familles et Lord Castlereagh est le dernier à en avoir vu un avant de se trancher la gorge.

LA SORCIÈRE D'ENDOR

Cette histoire, relatée dans le *Livre de Samuel*, a été écrite environ mille ans avant notre ère. C'est l'un des plus étranges et des plus contradictoires épisodes de la Bible, étant donné que le roi Saul avait lui-même interdit les pratiques occultes sur la terre d'Israël.

À cette époque, le pays vivait sous la menace d'une invasion des Philistins. Après avoir consulté Dieu à ce sujet et être demeuré sans réponse, le roi Saul a pensé qu'Il l'avait abandonné. Terrorisé à l'idée de ce qui pourrait se passer, Saul a donc décidé de se tourner vers la sorcière d'Endor.

La Bible interdit toute pratique occulte et indique que quiconque consulte les médiums s'expose à la mort, châtiment prévu pour punir ce genre d'activité. Saul a décidé d'ignorer cet avis et, déguisé et sous le couvert de la nuit, s'est rendu à Endor pour consulter la sorcière, lui promettant qu'elle ne serait pas punie si elle convoquait le prophète Samuel du monde des morts.

La sorcière accepta et, abandonnant ses pratiques trompeuses habituelles, fut véritablement surprise, lorsqu'elle vit apparaître un vieil homme. Il s'agissait probablement de l'esprit de Samuel, furieux, qui prédit la chute de Saul, la défaite d'Israël et la mort de Saul et de ses fils aux mains des Philistins.

HOUDINI

Le véritable nom de Harry Houdini, d'origine hongroise, était Erik Weisz. Non seulement était-il un célèbre prestidigitateur, spécialiste de l'évasion, mais aussi un homme qui mettait en doute les déclarations des spiritualistes.

Pratiquement tout le monde sait qu'Houdini est mort d'une péritonite résultant d'une rupture de l'appendice, le jour de l'Halloween 1926. Houdini avait été attiré par le spiritualisme après la mort

À DROITE ET PAGE OPPOSÉE, À GAUCHE : Harry Houdini, prestidigitateur célèbre pour ses évasions.

PAGE OPPOSÉE, AU CENTRE : Le défi lancé à Houdini de réussir une évasion particulièrement difficile.

PAGE OPPOSÉE, À DROITE : Sir Arthur Conan Doyle, était un ami intime d'Houdini. Ce dernier a mis en doute les capacités médiumniques de l'épouse de Doyle.

de sa mère et cherchait désespérément à communiquer avec elle. Il donc demandé l'aide d'un ami proche, Sir Arthur Conan Doyle, dont l'épouse était médium amateur, et c'est durant l'une de ces séances qu'il en est venu à la conclusion de que tous les spiritualistes étaient des charlatans.

La femme de Doyle a communiqué avec la mère d'Houdini et a prétendu avoir reçu un message pour son fils, en anglais. Malheureusement, elle n'avait jamais parlé ou écrit l'anglais, ce qui a amené le célèbre prestidigitateur à conclure qu'il s'agissait d'une supercherie.

Pour pouvoir tester les médiums après sa mort, Houdini a préparé un code, que seule son épouse, Béatrice, connaissait. Il était tel que tout faux message supposé provenir d'Houdini pouvait

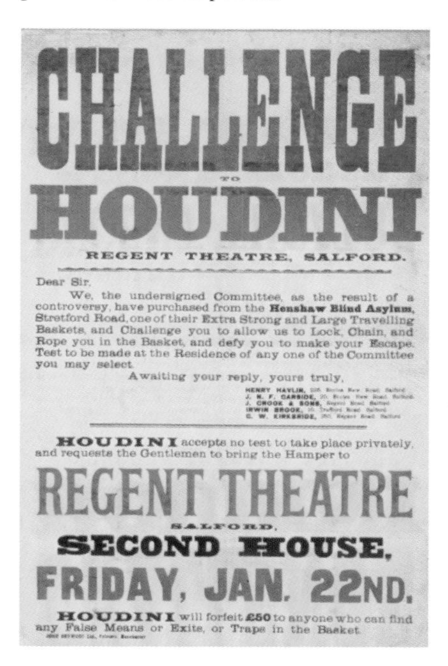

immédiatement être identifié. Après la mort de son mari, Béatrice a reçu des douzaines de messages supposément reçus par différents médiums du monde entier. En 1928, celui que lui a transmis un médium américain, appelé Arthur Ford, était particulier.

Toutefois, une rumeur courait voulant que Béatrice, ayant confirmé que Ford avait bel et bien communiqué avec feu son mari, avait comploté avec le médium afin d'assurer la rentabilité d'une série de conférences. Jusqu'à sa mort, Béatrice a affirmé avec vigueur qu'il n'y avait jamais eu de complot. Bizarrement, des médiums du monde entier affirment encore aujourd'hui avoir été en contact avec Houdini, mais la vérité à ce sujet ne pourra jamais être vérifiée.

BONNIE ET CLYDE

Bonnie Parker et Clyde Barrow, surnommés les Roméo et Juliette du crime, étaient des criminels notoires, durant la Grande Dépression. Ils s'étaient rencontrés au Texas, en janvier 1930, alors que Clyde avait déjà été emprisonné pour cambriolage et vol de voiture. À l'époque, Bonnie, âgée de 19 ans, était mariée à un meurtrier incarcéré et Clyde, 21 ans, était célibataire. Peu après leur rencontre, Clyde a été arrêté pour vol par effraction et jeté en prison. Il s'est échappé, à l'aide d'une arme que Bonnie avait introduite au pénitencier, a été capturé et emprisonné de nouveau. Clyde a retrouvé Bonnie lors de sa remise en liberté sur parole, en 1932, et, ensemble, ils ont entrepris de vivre comme des criminels, commettant des délits encore plus infâmes.

Barrow a été désigné comme suspect dans de nombreux assassinats et était recherché pour meurtre, vol et enlèvement. Le duo a été fusillé lors d'une embuscade policière près de Sailes, en Louisiane, le 23 mai 1934, à l'issue de l'une des plus spectaculaires chasses à l'homme de l'histoire des États-Unis.

Leur voiture criblée de balles a ensuite été remorquée en ville. Près du chemin où ils ont succombé, l'endroit porte une marque, laquelle est souvent photographiée. Des formes spectrales peuvent aussi être vues, tapies dans l'ombre.

RUDOLPH VALENTINO

Le 6 mai 1895, Rodolfo Alfonso Raffaello Piero Filiberto Guglielmi naissait, en Italie. Dix-huit ans plus tard, le jour de Noël, il débarquait à New York. Personne n'aurait cru que, sous le nom de Rudolph Valentino, ce serveur, qui travaillait aussi comme jardinier, deviendrait l'une des plus grandes icônes du cinéma américain.

Après avoir tenu la vedette dans les films les plus romantiques du cinéma muet jamais réalisés à Hollywood, Valentino a connu une fin de carrière tragique en août 1926, lorsqu'il s'est effondré à l'hôtel Ambassador de New York, avant d'être transporté d'urgence à l'hôpital, victime de la perforation d'un ulcère.

Une péritonite a malheureusement suivi, entraînant la mort du « Latin lover », huit jours plus tard. Il n'était âgé que de 31 ans.

Environ cent mille personnes ont assisté à ses funérailles, mais un fait macabre demeure : le corps présenté à la résidence funéraire était une réplique en cire de la vedette.

Le fantôme de Valentino est supposé avoir été actif peu de temps après sa mort,

PAGE OPPOSÉE : Bonnie Parker feignant de tirer sur Clyde.

CI-DESSUS : Rudolph Valentino.

À GAUCHE : La voiture criblée de balles dans laquelle Bonnie et Clyde ont péri. Ils ont été tués par les balles de la police, près de leur cachette en Louisiane, le 12 mai 1934.

apparaissant le plus souvent à sa résidence de Hollywood, *Falcon's Lair*, où il a été vu regardant par la fenêtre du deuxième étage. D'autres l'ont aperçu dans les corridors et un employé des écuries a été tellement apeuré de voir Valentino caresser son cheval préféré qu'il a quitté les lieux et n'y est jamais revenu.

Valentino aurait également été vu au *Santa Maria Inn*, où il s'étend sur les lits et frappe aux portes. Vêtu comme un scheik, personnage de deux de ses plus célèbres films, il a aussi été aperçu dans la division des costumes des Studios Paramount, au-dessus du studio n° 5, alors que d'autres l'ont vu à son ancienne maison au bord de la mer, à Oxnard, comté de Ventura, en Californie.

Le grand danois de Valentino, Kabar, a survécu à son maître pendant trois ans et on dit que son fantôme erre dans le cimetière pour animaux de Los Angeles.

À GAUCHE : L'hôtel Ambassador porte aujourd'hui un autre nom. En 1926, Rudolph Valentino s'y est effondré, victime de la perforation d'un ulcère dont il est mort huit jours plus tard, à l'âge de 31 ans.

PAGE OPPOSÉE, À GAUCHE : Pola Negri est réputée avoir été la Dame en noir qui a hanté la tombe de Valentino.

PAGE OPPOSÉE, À DROITE : Forest Lawn Memorial Park, où le corps de Lon Chaney repose, dans une crypte anonyme.

Une autre apparition liée à Valentino est celle d'une Dame en noir qui a été aperçue à proximité de la crypte n° 1205, du *Memorial Cathedral Mausoleum*, de Hollywood. Pendant plusieurs années, on a cru qu'il s'agissait de l'actrice polonaise Pola Negri, bien qu'elle ne soit décédée qu'en 1987. Peu importe qui elle fut, dans la vie comme dans la mort, la Dame en noir peut parfois être vue en train de déposer des fleurs sur la tombe de Valentino.

LON CHANEY

Le fantôme de Lon Chaney occupe la deuxième place après Valentino, en termes de fréquence des apparitions.

Connu sous le nom de « l'homme aux mille visages », il n'est pas surprenant qu'après sa mort, en 1930, il ait été vu à différents endroits. Chaney avait contracté une pneumonie, en 1929, et est décédé l'année suivante à la suite d'une hémorragie de la gorge, causée par un cancer.

Sa crypte, dans le *Forest Lawn Memorial Park Cemetery* de Glendale, en Californie, ne porte pas d'inscription.

L'endroit qu'il préférait hanter est un banc, qui était situé au coin de Hollywood et de Vine, près d'un arrêt d'autobus.

C'est là qu'il avait l'habitude d'attendre, lorsqu'il travaillait comme figurant, au début de sa carrière. Après être devenu célèbre, il passait souvent devant ce banc, à la recherche d'autres aspirants acteurs qu'il pourrait engager comme figurants. Après sa mort, une sorte de tradition a été instaurée : personne ne devait s'asseoir sur le banc, qui était réservé au fantôme de Chaney. Lorsque le banc a été retiré, en 1942, les apparitions ont cessé.

L'esprit de Chaney rend fréquemment visite au plateau insonorisé n° 28, aux Studios Universal où, comme on pouvait s'y attendre, ayant joué dans le *Fantôme de l'opéra* en 1925, il apparaît vêtu de son costume. On lui attribue également la responsabilité des lumières qui s'allument et qui s'éteignent sur le plateau et des portes qui s'ouvrent et se ferment de leur propre gré.

JEAN HARLOW

Jean Harlow est née en 1911 et, durant sa courte carrière d'actrice, dans les années 1930, elle a incarné l'archétype du sex-symbol et de la blonde fatale. Fille d'un dentiste du Missouri, elle a joué avec Spencer Tracy et Clark Gable.

En 1932, le deuxième mari de Harlow, Paul Bern, producteur à la MGM, a été trouvé mort dans leur résidence, provoquant un scandale qui a fait naître de nombreuses spéculations sur les raisons de son suicide. Des rumeurs circulaient, à l'effet qu'il aurait été assassiné par Dorothy Millette, qui se serait suicidée le lendemain. L'effroi de la mort semble être demeuré dans la maison, Sharon Tate, après en avoir fait l'acquisition, y a été assassinée en août 1969, par des adeptes de Charles Manson.

La MGM a tenté d'étouffer le scandale entourant le décès de Paul Bern, Jean Harlow étant, à l'époque, l'une de ses plus grandes stars. En 1937, alors qu'elle tenait la vedette aux côtés de Clark Gable, dans *Saratoga*, Jean Harlow s'est effondrée, victime d'une insuffisance rénale, que plusieurs ont attribuée à une maladie infantile, exacerbée par la violence conjugale. Son amant de l'époque, William Powell, est demeuré à son chevet, mais

PAGE OPPOSÉE : Jean Harlow, l'archétype de la blonde fatale, est décédée tragiquement, à l'âge de 26 ans. Son fantôme est supposé hanter le Forest Lawn Memorial Park, *à Glendale.*

À GAUCHE : Si Clark Gable s'est remarié à deux reprises après la mort de Carole Lombard, en 1933, il a été enterré à ses côtés en 1960.

elle est décédée quelques jours plus tard, à l'âge de 26 ans.

Son corps repose, lui aussi, au *Forest Lawn Memorial Park*, à Glendale.

Le fantôme de Jean Harlow, de même que celui de Paul Bern, a été vu à plusieurs reprises dans la maison qu'ils ont déjà occupée.

CAROLE LOMBARD

Carole Lombard, née dans l'Indiana, en 1908, sous le nom de Jane Alice Peters, allait devenir la plus grande actrice comique des années 1930 et épouser Clark Gable, en 1939. Leur vie conjugale avait la réputation d'être idyllique et ils projetaient l'achat d'un ranch dans la vallée de San Fernando, en Californie.

À 4 h, le 16 janvier 1942, Carole Lombard et sa mère, après avoir participé à un rallye d'appel au soutien de la guerre, se sont embarquées à bord d'un avion à destination de la Californie.

Après une escale de ravitaillement à Las Vegas, l'avion a pris son envol et, vingt-trois minutes plus tard, s'est écrasé sur le Mont Potosi, tuant tous les passagers à bord.

Lombard n'était âgée que de 33 ans et Gable a été tellement perturbé par sa mort qu'il s'est enrôlé dans l'Armée de l'air et a

À DROITE : Carole Lombard a épousé Clark Gable en 1939. Leurs fantômes sont censés hanter l'hôtel Oatman, en Arizona, où ils ont passé leur lune de miel.

PAGE OPPOSÉE : Al Capone était le chef d'un syndicat du crime de Chicago pendant la prohibition américaine. On dit que son fantôme apparaît chaque fois que quelqu'un faire preuve d'irrespect à l'égard du lot où la famille est enterrée.

participé à des missions de combat en Europe.

AL CAPONE

Fils d'un barbier de Naples, en Italie, Al Capone est né à Brooklyn, en 1899, et a dirigé un syndicat du crime de Chicago, pendant la prohibition des années 1920 et 1930. Les autorités, incapables de lui attribuer un seul crime, l'ont arrêté pour évasion fiscale. Il est demeuré le chef reconnu, même après son incarcération à Alcatraz, dans la baie de San Francisco. Capone a finalement vu sa santé se détériorer et a été victime d'un accident vasculo-cérébral le 21 janvier 1947, suivi d'une pneumonie. Une crise cardiaque l'a emporté quelques jours plus tard.

Capone a d'abord été enterré au cimetière Mont Olivet, aux côtés de son père et de son frère, mais les trois corps ont ensuite été déplacés en 1950 vers le cimetière Mont Carmel, à Hillside. Son fantôme est censé apparaître chaque fois qu'un visiteur fait preuve d'un manque de respect à l'égard des tombes de sa famille. Les conservateurs de l'ancienne prison d'Alcatraz, de même que des visiteurs, auraient aussi entendu ou observé des manifestations liées à Al Capone; il a été l'un des premiers prisonniers de la prison et du banjo peut être entendu, en provenance de sa cellule.

À GAUCHE ET CI-DESSUS : Al Capone a été emprisonné à Alcatraz pour évasion fiscale et y est mort à la suite d'une crise cardiaque.

PAGE OPPOSÉE : La White Horse Tavern, *à Greenwich Village, où le poète Dylan Thomas aimait boire, ce qui l'a amené très tôt dans la tombe.*

DYLAN THOMAS

Dylan Thomas est né dans la ville de Swansea, au Pays de Galles, en 1914. Poète et écrivain adulé, sa vie s'est terminée à la *White Horse Tavern*, à Greenwich Village, Manhattan. Thomas, un alcoolique notoire, avait, le jour fatidique, bu dix-huit verres de whisky avant de retourner à l'hôtel Chelsea, d'où il a été amené à l'hôpital Saint-Vincent. La pression sur son cerveau, exercée par une pneumonie, et les dommages causés à son foie par l'alcool ont contribué à sa mort, le 9 novembre 1959.

Son corps repose dans le pays de Galles, mais son fantôme semble préférer sa table favorite à la *White Horse Tavern*.

JAMES DEAN

Bien qu'il soit mort il y a plus de cinquante ans, James Dean continue de jouir d'un statut d'icône, de jeune rebelle. Son fantôme n'a pas été vu, mais sa Porsche Spyder, sans doute l'amour de sa vie et au volant de laquelle il a trouvé la mort, près de Cholame, en Californie, le 30 septembre 1955, a été associée à de nombreux événements tragiques.

Peu après avoir pris possession de la voiture, il l'a montrée à l'acteur britannique Alec Guinness qui, semble-t-il, aurait eu un mauvais pressentiment et

CI-DESSUS : L'intérieur de la White Horse Tavern a très peu changé depuis l'époque de Dylan Thomas.

PAGE OPPOSÉE : Le poète et écrivain gallois Dylan Thomas.

conseillé à Dean de ne pas la conduire, prédisant qu'il mourrait d'ici une semaine. Dean a ignoré ce conseil et s'est tué dans un accident. Le véhicule a par la suite changé de mains à plusieurs reprises et chacun de ses propriétaires a subi des blessures ou trouvé la mort en la conduisant.

MARILYN MONROE

L'actrice légendaire est tombée dans un coma, duquel elle ne devait jamais émerger, le 4 août 1962. Monroe n'était âgée que de 36 ans et sa mort est toujours entourée de mystère. Son fantôme a été aperçu à au moins deux endroits : à l'hôtel Roosevelt d'Hollywood, où elle avait souvent l'habitude de séjourner, et où son image complète a été vue dans un miroir qui a déjà été accroché dans la suite située près de la piscine, mais qui se trouve désormais dans le hall d'entrée, et à

CI-DESSOUS : Marilyn Monroe et son mari, Arthur Miller. Laurence Olivier, qui partageait la vedette avec elle dans le film Le prince et la danseuse *(1957) peut être aperçu dans l'arrière-plan, à gauche.*

PAGE OPPOSÉE : Le fantôme de Montgomery Clift est supposé hanter la chambre 928 de l'Hôtel Hollywood Roosevelt.

proximité de sa tombe, dans le cimetière *Westwood Memorial*, de Los Angeles. Des rapports non confirmés établissent le fait qu'elle hante sa maison de Brentwood, l'endroit où elle est décédée ; elle semble vouloir dire que sa mort n'est pas due à un suicide, mais à un accident.

MONTGOMERY CLIFT

La chambre 928 de l'hôtel Roosevelt d'Hollywood est hantée par le fantôme de l'acteur Montgomery Clift, sélectionné quatre fois pour un Oscar. Des bruits étranges peuvent parfois se faire entendre dans la chambre; la température est nettement plus froide, à certains endroits, et le téléphone, souvent décroché. De plus, certains visiteurs ont senti une main invisible sur leur épaule.

Clift a occupé cette chambre pendant trois mois, en 1953, alors qu'il apprenait son texte pour le film, *From Here to Eternity*. Il est mort en 1966, à l'âge de 45 ans.

ELVIS PRESLEY

Il n'est pas étonnant que le fantôme d'Elvis Presley apparaisse tant à Graceland qu'au *Heartbreak Hotel*. Presley est mort en 1977 et, ce qui est le plus surprenant, est que son fantôme peut-être aperçu en train d'épouser Marilyn Monroe à la chapelle de Graceland. Des apparitions similaires se produisent au *Heartbreak Hotel*, de l'autre côté de Memphis, où de la musique, censée être celle de la chanson

«*Diamonds are a Girl's Best Friend*», peut être entendue.

Le fantôme d'Elvis Presley a également été vu par de nombreux machinistes de l'hôtel Hilton de Las Vegas, de même que dans un édifice de Music Row, déjà utilisé par la RCA de Nashville comme studio d'enregistrement, et où Elvis a enregistré ses premiers disques.

PAGE OPPOSÉE : Graceland, ancienne maison d'Elvis Presley, à Memphis, Tennessee.

CI-DESSOUS : Les tombes de la famille Presley, à Graceland.

ORSON WELLES

(George) Orson Welles est né dans le Wisconsin, en 1915, et est devenu l'un des plus importants acteurs, producteurs, dramaturges et réalisateurs d'Hollywood. Il est mort d'une crise cardiaque, à l'âge de 70 ans, le 10 octobre 1985, le jour même du décès de Yul Brynner. Le fantôme d'Orson Welles a été aperçu au restaurant *Sweet Lady Jane*, sur l'avenue Melrose, à Los Angeles. C'était son restaurant préféré et sa silhouette, drapée dans une cape, peut être vue assise à sa table habituelle; certains témoins ont même senti une odeur de brandy et de cigare.

LIBERACE

Autre fils du Wisconsin, encore plus flamboyant, Liberace était un descendant italo-polonais et le seul survivant à la naissance d'un couple de jumeaux. Il a donné son dernier spectacle le 2 novembre 1985, au *Radio City Music Hall* de New York et a, par la suite, nié vigoureusement le fait qu'il était malade. Il était en fait infecté par le VIH, souffrait d'emphysème et avait également des problèmes de cœur et de foie. Liberace est mort le 4 février 1987, à l'âge de 67 ans, à sa résidence d'hiver de Palm Springs, en Californie.

On prétend que son fantôme hante le restaurant *Carluccio's Tivoli Gardens*, à Las Vegas, conçu par Liberace lui-même et situé à proximité du Musée Liberace. Le pianiste y avait sa propre loge privée et son fantôme peut parfois être vu dans la salle à manger, sortant de l'endroit où la loge se trouvait. Des surtensions électriques inexplicables, des portes qui se verrouillent et se déverrouillent toutes seules et des bouteilles qui se renversent ont également été observées.

Un jour, l'approvisionnement en électricité a été interrompu et toutes les tentatives de branchement ont échoué. Quelqu'un s'est soudainement souvenu que c'était l'anniversaire de Liberace et, dès qu'on lui eut exprimé les vœux de circonstance, l'électricité est revenue.

PAGE OPPOSÉE : Orson Welles, l'un des plus grands acteurs, dramaturges et réalisateurs d'Hollywood.

CI-DESSUS : Liberace, vêtu de l'un de ses flamboyants costumes.

CHAPITRE TROIS

ENDROITS HANTÉS

Parce que les fantômes sont probablement issus de la manifestation de personnes décédées, la logique veut qu'il leur soit peut-être difficile d'abandonner un lieu qui a joué un rôle important, pendant leur vie. En d'autres termes, les fantômes semblent avoir un attachement émotionnel pour certains endroits, qui peut même survivre à la mort.

VOL 401

L'histoire du vol 401 en est une bonne illustration. Quand l'avion TriStar s'est écrasé dans les Everglades, le 29 décembre 1972, cent une personnes ont péri et deux des survivants les ont suivies dans la mort quelques jours plus tard. L'avion de ligne à réaction Lockheed n'avait été utilisé que pendant quatre mois et un pilote expérimenté, effectuant un vol de routine, était aux commandes. Après l'écrasement, la ligne aérienne a pu retirer certains éléments de la carcasse du Lockheed qui ont été réutilisés dans la construction d'autres aéronefs de ce type.

Peu après l'écrasement, les fantômes de Bob Loft et de Don Repo, respectivement pilote et mécanicien de bord, morts lors de l'accident, ont été vus à plusieurs reprises par les membres d'équipage d'autres avions TriStar d'Eastern, notamment dans les aéronefs qui comportaient certaines pièces recyclées du vol 401. Loft et Repo avaient pour rôle de protéger les voyageurs et l'équipage. Il semble bien que, même après leur mort, ils n'aient jamais renoncé à leur devoir.

À GAUCHE : Les Everglades, Floride. Quand le vol 401 s'y est écrasé, des pièces de l'avion ont été récupérées et installées dans d'autres appareils, retenant la mémoire de certains passagers de l'avion.

PAGE SUIVANTE : Des remous dans le Niagara. Cette rivière compte plusieurs histoires de fantômes, dans son répertoire.

OLD ANGEL INN, NIAGARA-ON-THE-LAKE

Pendant la guerre de 1812, entre les États-Unis, la Grande-Bretagne et ses colonies (le Canada en particulier), le Capitaine Swayze, un soldat britannique, a trouvé refuge dans les cellules de l'*Angel Inn*. Surpris par les soldats américains, Swayze s'est caché dans un baril de vin, mais a été tué d'un coup de baïonnette. Pendant la retraite des Américains, l'*Angel Inn* a été incendié, mais reconstruit en 1815.

À partir des années 1820, différentes manifestations ont été rapportées, y compris des bruits de pas, le rire d'un homme provenant de la salle à dîner, de même que de la musique de fifres et de tambours, dans une chambre à l'étage.

Des apparitions de dames et de messieurs bien habillés ont également été signalées, de même que celle d'un homme vêtu d'un manteau rouge, habituellement vu dans le miroir de la salle de bains des femmes, qui était située à proximité du cellier où Swayze a trouvé la mort.

FORT ERIE, ONTARIO

Le Fort Erie est le premier fort qui a été construit par les Britanniques, à l'issue de la Guerre de Sept Ans, à laquelle le Traité de Versailles a mis un terme, en 1763. Il est situé sur la rive sud de la municipalité de Fort Erie, face à Buffalo, New York, qui se trouve de l'autre côté du Niagara. Le fort lui-même est le théâtre de plusieurs apparitions désagréables, dont celle d'un homme sans tête et d'un autre sans mains.

Pendant la Guerre de 1812, un sergent américain se faisait raser, à l'aide d'un coupe-chou, par son caporal. Soudain, un boulet de canon britannique a touché le fort, laissant l'homme qui procédait au rasage sans mains et l'autre, sans tête. L'histoire a été confirmée lors d'un déblaiement ultérieur effectué au fort, quand les corps d'un soldat sans tête et d'un autre sans mains ont été découverts.

LE *SCREAMING TUNNEL*, CHUTES NIAGARA

Toujours au Canada, le cas étrange d'un endroit situé à proximité des chutes Niagara, connu sous le nom de « - », est digne de mention. Le tunnel devait initialement servir au transport ferroviaire, mais la Compagnie des chemins de fer nationaux du Canada a fait faillite après la Première guerre mondiale. Si le tunnel a été terminé, à l'époque, les rails n'ont jamais été installés. Une rumeur veut qu'un jour, une vieille maison de ferme, située au sud du tunnel, a été consumée par un incendie. Une jeune fille a réussi à sortir du bâtiment, les vêtements en feu, et a couru vers le tunnel, se roulant sur le sol pour tenter d'éteindre les flammes.

L'autre version de l'histoire prétend qu'après une dispute concernant le divorce de ses parents, le père de la jeune fille l'a immolée dans le tunnel. Depuis, quiconque craque une allumette entend des cris perçants qui ne s'arrêtent que lorsque l'allumette est éteinte.

PORT ARTHUR, TASMANIE, AUSTRALIE

Le Port Arthur a été érigé en 1830, à des fins d'exploitation forestière, mais quelques années plus tard, en raison de son emplacement, sur un isthme entouré par la mer, et de l'accès terrestre très restreint, il a été transformé en pénitencier, où les pires criminels d'Angleterre étaient condamnés à y travailler, enchaînés. C'est là que la plupart du bois qui a servi à la construction de Sydney a été produit.

Pendant les quarante-sept années de son histoire, la réputation du régime particulièrement cruel de la prison, où la flagellation était fréquente, a grandi.

Le pénitencier a finalement été fermé en 1899 et, au cours des vingt années qui ont suivi, le feu et le vol ont achevé la destruction de la plupart des bâtiments. Toutefois, il est possible, encore de nos jours, d'entendre des voix et des manifestations spectrales étranges ont été observées. Elles sont très certainement associées aux hommes qui ont été condamnés à vivre et à travailler dans ce sinistre établissement.

PAGE SUIVANTE : la prison de Port Arthur, en Tasmanie.

PAGE OPPOSÉE, À GAUCHE : L'église de Port Arthur a été construite par les prisonniers et n'a probablement jamais été consacrée.

À GAUCHE : L'hôpital psychiatrique de Port Arthur.

CI-DESSOUS : Les cellules de la prison.

À proximité du bâtiment carcéral se trouve une église, construite entre 1836 et 1837, qui n'a probablement jamais été consacrée. Pendant sa construction, deux hommes se sont battus et l'un d'entre eux est mort en tombant du clocher. Sa tête a frappé le mur extérieur de l'église et, jusqu'à maintenant, bien que le laurier couvre la plupart des ruines, il refuse de pousser à l'endroit précis où la tête a heurté le mur. Plusieurs ont entendu une chorale fantôme,

provenant de l'intérieur des ruines, alors que d'autres ont affirmé avoir vu des cercles de lumière.

BRISBANE, QUEENSLAND, AUSTRALIE

Brisbane a la réputation d'être la ville la plus hantée d'Australie. La *Brisbane Arcade* a été magnifiquement restaurée et le deuxième étage consiste en un balcon en fonte, qui court le long des murs du bâtiment, mais dont le centre a été ouvert pour permettre de voir le premier étage.

On dit que le fantôme d'un commerçant hante toujours l'arcade du deuxième étage et que les gardes de sécurité l'ont vu à plusieurs occasions.

L'hôtel de ville de Brisbane est hanté par trois fantômes : l'un est censé être un ouvrier, tué en 1930 pendant l'installation de l'ascenseur et qui, parfois, prend la

CI-DESSOUS ET PAGE SUIVANTE : Brisbane, reconnue comme étant la ville la plus hantée d'Australie.

décision terrifiante de se joindre aux passagers de l'ascenseur. Dans le salon de thé, se trouve le fantôme d'un marin américain, tué par un collègue, lors d'une bagarre au sujet d'une belle Australienne. Des gens ont entendu une dispute, le son d'un couteau tiré de son étui et le gargouillement du dernier souffle du marin. Finalement, une dame en costume d'époque est souvent vue debout, dans l'escalier principal. Elle semble attendre quelqu'un qui ne viendra jamais.

ÉDIMBOURG, ÉCOSSE

L'Écosse, terre ancienne dont la longue histoire, remplie de toutes sortes d'événements, est passablement fournie «en fantômes et en vampires… et riche de toutes ces choses qui sortent la nuit». Édimbourg, la capitale, est un secteur particulièrement actif. À l'extérieur de la ville, le cratère rocailleux d'un ancien volcan, portant le nom de «Siège d'Arthur», a la réputation d'être le lieu de sépulture d'un géant, issu d'une époque passée. Le cratère permet non seulement de profiter de la vue majestueuse du *Firth of Forth* et des collines de Lomond, mais plusieurs des points de repères de la ville d'Édimbourg peuvent également être aperçus, plus bas.

En 1836, des écoliers ont découvert dix-sept petits cercueils de bois, contenant chacun un personnage sculpté, dans une petite caverne située sous le sommet. Leur existence n'a jamais été expliquée de façon satisfaisante, mais des liens à la sorcellerie ont déjà été suggérés.

En outre, ils ont peut-être servi d'objets commémoratifs aux victimes des soi-disant « résurrectionnistes », nom des infâmes voleurs de cadavres, Burke et Hare.

La colline de Calton Hill, à Édimbourg, caractérisée par la présence de la réplique de l'Acropole d'Athènes, dont la silhouette se découpe dans le ciel, est l'endroit où, chaque année, on célèbre le rituel païen de Beltane, pour saluer l'arrivée de l'été. Tout près, on dit qu'un portail mène à un royaume féerique, lequel ne peut être perçu que par les gens qui ont le don de seconde vue.

Lord Balcarres a vu le vicomte Dundee au château d'Édimbourg en 1689, le vicomte venant de mourir dans la bataille de Killiecrankie. D'autres histoires fantasmagoriques comprennent celles de Marie, reine d'Écosse, censée hanter le palais de Holyrod; d'une femme vêtue de blanc, qui apparaît à l'hôtel *Royal Circus* ; d'une toute petite fille, censée hanter le *Sheep's Heid Inn* – le plus vieil établissement public d'Édimbourg; et celle de Lady Hamilton de Bothwellhaugh, errant, nue, dans les ruines de *Woodhouse Lee*.

À GAUCHE : Le réseau de passages souterrains d'Édimbourg et les bâtiments anciens font de la ville un point chaud pour les apparitions fantomatiques.

CI-DESSOUS : Calton Hill, où le festival païen de Beltane est toujours célébré.

La voie processionnelle Royal Mile, *à Édimbourg, mène au magnifique palais de Holyrood, construit sous les ordres de Jacques IV d'Écosse, en 1498, mais seule une toute petite partie des bâtiments d'origine demeure. Le plus célèbre mariage à avoir eu lieu à cet endroit est celui de Marie, reine d'Écosse, âgée de 22 ans, avec le jeune Darnley, 19 ans, le 29 juillet 1565. Ce mariage s'est avéré malheureux et tragique, comme son union avec le comte de Bothwell, célébrée le 15 mai 1567. Compte tenu de sa vie mouvementée, il n'est pas étonnant que Marie hante les lieux.*

Les ruines majestueuses de l'abbaye de Whitby, dans le North Yorkshire, en Angleterre. Construite en 657 sur une falaise surplombant la mer, l'abbaye Bénédictine mixte a été détruite par les Vikings, deux cents ans plus tard, et reconstruite par les conquérants Normands en 1067.

Hilda, nièce du roi de Northumbrie, en a été la première abbesse et elle n'aurait jamais quitté les lieux. Son fantôme, drapé dans un linceul, apparaît fréquemment à l'une des plus hautes fenêtres de l'abbaye. Pendant son mandat à Whitby, elle a notamment débarrassé le secteur des serpents qu'elle attirait près du bord de la falaise pour les décapiter avec un fouet. Probablement en rapport avec cette histoire, un grand attelage ressemblant à un corbillard, conduit par un cocher sans tête, aurait été vu courant le long de la falaise avant de tomber dans le vide et de plonger dans la mer.

Mais un fantôme encore plus troublant est celui de Constance de Beverley, une jeune nonne, qui a rompu ses vœux pour l'amour d'un brave mais faux chevalier, appelé Marmion. Elle a reçu le châtiment d'être emmurée vivante, dans le donjon de l'abbaye, d'où elle supplie encore qu'on la libère.

Le Capitaine James Cook est associé à la municipalité de Whitby, dont l'enclos paroissial a inspiré Bram Stroker, pour son roman Dracula.

À DROITE : Le Château royal de Wawel. John Dee, alchimiste et magicien anglais, s'est rendu à Cracovie en 1584, à la recherche d'esprits.

On dit que Lady Hamilton a été expulsée toute nue, dans la nuit où le château de son mari a été pris par la force, et qu'elle serait morte de froid. Son fantôme, nu, a été vu dans le secteur, portant parfois le corps inerte de son enfant décédé.

CRACOVIE, POLOGNE

Cracovie, ville associée aux monstres d'argile, aux dragons et aux horreurs de la Deuxième guerre mondiale, semble voir les esprits sortir littéralement de ses vieilles pierres. Plusieurs histoires sont liées au Château royal de Wawel, une structure magnifique, située sur le dessus de la colline Wawel et dont on dit qu'elle est le cœur spirituel de la Pologne. Plusieurs rois y ont été couronnés et reposent dans les voûtes du château.

Certains ont entendu de la musique fantomatique provenant des voûtes, alors que d'autres se sont plaints d'un sentiment de lourdeur et d'oppression. La colline est criblée de galeries; à l'intérieur se trouve le *Dragon's Lair* (la tanière du Dragon), où se dresse la statue d'un dragon, probablement en l'honneur d'une déesse des serpents vénérée par les païens qui, selon la légende, aurait vécu dans la colline.

Le bouffon de la cour, Stanczyk, autrefois à la cour du roi Sigismond, est censé apparaître sur le crénelage du château, chaque fois que la Pologne court un danger. Durant sa vie, Stanczyk était un patriote polonais fanatique.

Le bâtiment qui abrite aujourd'hui le bureau du maire et a déjà été une magnifique résidence. Il est soi-disant hanté par une jeune femme, Mlle Wielopolski. Amoureuse d'un homme pauvre, elle a été assassinée par son père, qui voulait empêcher la honte de rejaillir sur la famille. En homme pieux qu'il était, il a d'abord bandé les yeux et enlevé un jeune prêtre de l'église Sainte-Marie, qu'il a entraîné chez lui pour qu'il puisse entendre la confession de sa fille, avant qu'il ne passe à l'action. Après qu'elle eût fait sa confession, un bourreau est arrivé et lui a tranché la tête.

Le père a alors servi à boire au bourreau et au prêtre. Le bourreau ne s'est pas fait prier, mais le prêtre a versé son verre derrière son col clérical. On lui a bandé les yeux de nouveau, avant de le ramener à l'église. Lorsqu'il est arrivé chez lui, il a constaté que la peau de son cou et de sa poitrine était pleine de cloques. Il a compris qu'on avait tenté de l'empoisonner.

Plusieurs années plus tard, le prêtre a été convoqué à la maison, qu'il a reconnue comme étant le lieu de la confession dès qu'il a franchi la porte. Il a immédiatement alerté les autorités et le père a été exécuté pour le meurtre de sa fille, qui hante toujours les lieux.

Au XIXe siècle, des religieuses ont construit un sanctuaire, hors des hauts murs du couvent des carmélites, sur la rue Kopernica. Cette construction était soit un acte de contrition pour avoir maltraité l'une des leurs, ou l'expression de leur reconnaissance pour avoir permis que son évasion puisse être mise au jour. La légende veut qu'il s'agisse d'une consœur qui a tenté de s'échapper avec son amant mais, ayant été trouvée, a été ramenée au couvent. Elle a été emprisonnée dans une toute petite cellule, où elle a passé le reste de sa vie. Son fantôme a été vu sur la rue et, de façon inquiétante, en train de marcher au travers les hauts murs.

PRAGUE

La ville de Prague, aujourd'hui située en République tchèque, en ravit plusieurs avec ses châteaux magnifiques et sa cathédrale, mais ils ne savent pas que le pont Charles abrite un secret fantastique et terrifiant.

Pendant de nombreuses années, au Moyen-Âge, les têtes des personnes qui avaient été exécutées étaient empalées sur des pieux et exhibées sur le pont, de manière à ce que le bon peuple puisse les voir. Plusieurs personnes ont affirmé avoir entendu les têtes chanter, toujours installées sur leurs pieux, vers minuit. Une statue du prince de Bruncvik se dresse sur le pont et, à l'intérieur, se trouverait une épée magique à laquelle on n'aurait qu'à

À GAUCHE : La cathédrale de Wawel. La colline de Wawell est criblée de galeries souterraines et la légende du roi Casimir le Grand raconte que, lorsqu'il était enfant, il a emprunté un chemin dans la colline qui l'aurait mené dans une chambre, éclairée par la chaude lueur d'une pierre mystérieuse, dont on dit qu'elle est la source de l'énergie mystique dont Cracovie est pénétrée.

PAGE SUIVANTE : La cathédrale Saint-Guy, le château et le pont Charles de Prague.

commander de couper des têtes pour qu'elle s'exécute. De plus, il n'est pas prudent de nager trop près du pont, d'abord en raison du fort courant de la Vltava, mais aussi parce qu'un génie des eaux se cache dans le fond de la rivière, où il dévore les âmes de ceux qui se noient.

De 1618 à 1648, la Guerre de Trente ans a fait rage en Europe, entre les Protestants et les Catholiques, entraînant dans son sillon la famine, la maladie et la mort.

Pendant ce conflit, les Protestants suédois ont assiégé Prague et l'un de leurs soldats, mort au combat, peut être vu sur son cheval arpentant les rues – portant sa propre tête dans un sac sous son bras.

Un fantôme majestueux fréquente aussi le secteur, condamné à errer éternellement, en raison de son refus de partager sa nourriture avec les gueux affamés.

PAGE PRÉCÉDENTE : Le pont Charles relie la Vieille-Ville à Malá Strana et au Château de Prague.

À DROITE : La cathédrale de Saint-Guy domine une ville riche en folklore et en légendes.

Le vieux quartier juif de Prague est le centre de l'histoire célèbre de Golem, créé par le Rabbi Löw, au XVIe siècle, pour protéger la population contre les pogroms. Selon la Kabbale, un Golem pouvait être conçu avec de l'argile provenant des rives de la Vltava. En suivant les rituels prescrits, le Rabbi a donné vie au géant en pressant le mot *emet*, lequel signifie « vérité », sur le front du Golem. Au début, le géant obéissait aux ordres du Rabbi, mais il a grandi au point de devenir incontrôlable. Il n'y avait rien d'autre à faire que de le détruire, ce que le Rabbi a fait en retirant le « e » d'*emet* pour que le mot *met*, lequel signifie « mort », remplace le premier sur le front du Golem. Conformément au plan, le Golem est mort, mais la légende veut qu'il ait été ramené à la vie par le fils du Rabbi Löw. Il protège peut être toujours Prague aujourd'hui.

Les ruines de l'abbaye de Bolton, datant du XIIe siècle, près de Skipton, dans le Yorkshire, se dressent sur les berges de la Rivière Wharfe, entourées de champs. L'abbaye a été fondée en 1151, par les moines Augustins, et ses vestiges et leur emplacement ont été immortalisés tant par la peinture que la poésie – dans une toile d'Edwin Landseer et dans les aquarelles de J.M.W. Turner, dont l'une, intitulée Bolton Abbey, Yorkshire *(1809), est exposée au British Museum. Le poème de William Wordsworth «* The White Doe of Rylstone *» a été inspiré d'une visite à l'abbaye de Bolton, en 1807.*

En 1912, le Marquis de Hartington a vu le fantôme d'un moine dans le presbytère, alors qu'en 1975, le révérend F.G. Griffiths a confirmé l'apparition d'un moine Augustin qui a été aperçue passant au travers le mur du presbytère, vers les ruines de l'abbaye. Cette silhouette a également été vue par des visiteurs à différentes reprises. Un spectre portant un robe noire est aussi censé hanter le site, habituellement pendant le jour, au mois de juillet. Il semble qu'une forte odeur d'encens accompagne cette apparition.

BERLIN, ALLEMAGNE

L'architecte royal Caspar Theiss avait conçu et fait construire un pavillon de chasse pour son patron, Joachim II Hector de Brandebourg, dans les années 1540, lequel était dissimulé par la dense forêt située près du lac Gunewald qui est, aujourd'hui, un quartier de Berlin. L'endroit est supposément hanté par le fantôme d'un noble Prusse qui a été assassiné par un des princes Hohenzollern, dans un accès de rage. Le prince a pourchassé sa victime dans un escalier menant des étages supérieurs au rez-de-chaussée, où il l'a attrapée.

Bien que l'escalier ait, depuis, été muré, le son d'un quelqu'un descendant les marches à toute vitesse peut clairement être entendu. Pendant des décennies, de nombreuses tentatives pour démolir le mur ont été entreprises, mais la permission a toujours été refusée. Les restes de la victime se trouveraient peut être encore sous la volée d'escaliers.

Le Château initial de Berlin a été construit en 1443 et est demeuré, pendant près de deux cents ans, la résidence principale des rois de Prusse et des empereurs d'Allemagne. À la chute de la monarchie allemande, en 1918, le château Hohenzollern est devenu un musée, mais a gravement été endommagé par les bombes alliées, durant la Deuxième guerre mondiale, entraînant sa démolition en 1950.

La légende veut qu'une Dame blanche (*Wisse Frau*) a hanté les lieux. Il s'agirait du spectre de Cunégonde d'Orlamonde, dont la famille avait fait construire le château et qui aurait assassiné ses deux enfants, en perçant leurs crânes à l'aide d'une aiguille en or.

Sa conscience troublée a incité Cunégonde à se rendre à Rome pour y rencontrer le Pape, qui lui a dit qu'elle serait pardonnée si elle passait le reste de sa vie dans un monastère. Elle a fait construire son propre monastère, mais continue néanmoins de hanter tous les châteaux de la famille Hohenzollern, annonçant la mort et la malchance de ceux qui passent sous son ombre.

LES CATACOMBES DE PARIS, FRANCE

Sous les rues de Paris reposent les squelettes de sept millions de Parisiens exhumés et entassés proprement le long de passages étroits. Les catacombes de Paris étaient, à l'origine, des carrières de pierre mais, au fil des ans, afin de vider les cimetières devenus surpeuplés, des squelettes y ont été déposés. On dit qu'une brume bleue fantomatique émane des catacombes et qu'elle semble créer des formes qui tourbillonnent et changent de direction, ce qui engendre d'étranges apparitions et silhouettes; certains disent qu'elles sentent le bois de santal.

CI-DESSOUS ET PAGE OPPOSÉE À GAUCHE : Le roi Louis XIV, qui a, pendant son règne, fait de Versailles la capitale virtuelle de la France.

PAGE OPPOSÉE, À DROITE : Versailles est aussi célèbre pour les phénomènes qui y sont associés.

LES FANTÔMES DE VERSAILLES

Le Palais de Versailles est probablement le bâtiment le plus visité de France. Il est étroitement lié au roi Louis XIV, qui en a fait la capitale non officielle de France, vers la fin du XVIIe siècle. Une abbaye a peut-être été érigée sur le site dès 1038, de même qu'un petit château et une église, quelques années plus tard. Le village lui-même a été littéralement effacé par la Mort noire et le massacre de la Guerre de Cent Ans (1337-1453). Il n'est donc pas surprenant que le secteur soit le siège de très nombreuses manifestations.

En 1901, deux Anglaises visitaient Versailles pour la première fois. En approchant du Palais, elles ont vu une femme secouer un linge à la fenêtre.

Puis, alors qu'elles tournaient le coin, elles ont pu apercevoir une ferme. Les travailleurs qu'elles ont rencontrés portaient des vêtements bizarres et des

tricornes. Un homme a couru vers elles et leur a parlé avec un accent étrange. Les deux femmes ont apprécié cette scène bucolique pendant quelques instants et ont repris leur promenade, jusqu'à ce que Versailles leur apparaisse, dans toute sa splendeur. Ce qui venait de se produire était un voyage dans le temps, puis le retour au temps présent.

Ces deux dames ne sont pas les seules à avoir connu cet étrange phénomène. En 1932, un professeur et son élève ont aperçu une femme et un vieil homme portant des vêtements du XVIIIe siècle. Ils ont tenté de parler à l'homme, mais n'ont pas compris le dialecte français qu'il utilisait, pour s'exprimer.

En 1949, un éleveur de volailles d'Angleterre a clairement vu une femme vêtue à l'ancienne. Son épouse l'a vue également et, après avoir consulté des illustrations de vêtements anciens, ils sont certains que ceux qu'elle portait dataient des années 1870. Un procureur de Londres et son épouse ont, pour leur part, vu une femme portant une robe d'un rouge très vif, marchant avec deux hommes, le 21 mai 1955. Dès qu'ils se sont approchés d'eux, le trio a disparu devant leurs yeux.

CASTEL BRANDO, PRÈS DE VENISE, ITALIE

Au fil des ans, le Castel Brando, situé à *Cison di Valmarino*, a accueilli Dante Alighieri, Antonio Vivaldi et Casanova, mais les légendes concernant les apparitions qui ont été vues au château semblent toutes être liées au comte Brandolini qui, pendant sa vie, était un homme craint et détesté.

Venise, la nuit, avec ses passages sombres et ses canaux, n'est pas seulement magnifique, mais aussi fantomatique. Des histoires de spectres y sont associées, y compris celles du Castel Brando et du comte Brandolini.

Brandolini a toujours exercé pleinement son droit de seigneur et de cuissage et les épouses de ses vassaux étaient obligées de passer leur première nuit de noces non pas avec leurs époux, mais avec le comte. Toute femme qui rejetait les avances du comte était décapitée, son corps lancé dans une trappe dissimulée dans la chambre du comte. On dit que des têtes hurlant ont déjà été vues en train de rouler du haut de la montagne et que des pleurs peuvent encore être entendus de nos jours. La trappe existait toujours durant la Première guerre mondiale et elle a servi à plusieurs évasions.

L'abbaye du Mont-Saint-Michel domine une île rocheuse, entre la Normandie et la Bretagne, au cœur de grands bancs de sable qui sont exposés à de puissantes marées.

En 708, un rêve a incité Saint-Aubert, évêque d'Avranches, à ériger, sur le site, un sanctuaire consacré à l'Archange Saint Michel. En 966, le duc de Normandie a confié le sanctuaire aux moines Bénédictins, qui ont construit une magnifique abbaye sur le terrain, laquelle deviendrait l'une des plus importantes destinations pour les pèlerins de l'époque médiévale, en Europe.

Plusieurs histoires de fantômes sont liées au site, le plus célèbre spectre étant celui de Louis d'Estouville, commandant de la garnison qui s'y trouvait, en 1434, et qui a réussi à défendre l'abbaye contre l'armée anglaise. On dit que le sang de 2 000 soldats anglais a donné au sable sa couleur rouge et que le fantôme d'Estouville est destiné à hanter le Mont-Saint-Michel pour l'éternité.

Quand le vieux Pont de Londres, construit en 1831, a commencé à éprouver de la difficulté à soutenir le poids de la circulation sans cesse croissante, il a été déplacé à Lake Havasu City. *Il semble, toutefois, que certains des fantômes anglais qui hantaient le pont étaient peu disposés à le quitter. Ils l'ont donc suivi en Arizona.*

On dit que le comte continue à hanter le terrain du château; son fantôme a été vu, à cheval, soi-disant en train de chercher son âme perdue.

LE PONT DE LONDRES, RECONTRUIT EN ARIZONA

En octobre 1971, Jack Williams, gouverneur de l'Arizona, et Sir Peter Studd, lord-maire de Londres, ont officiellement ouvert le Pont de Londres à *Lake Havasu City*, Arizona. Le vieux pont, au moyen de ce qu'il est convenu d'appeler un démantèlement et un exercice de reconstruction monumentaux, avait été retiré du paysage de Londres et transporté de l'autre côté de l'océan Atlantique, vers son nouveau lieu de résidence.

Mais il semble que les composantes physiques du pont ne sont pas les seules à

À GAUCHE : La première apparition spectrale à avoir eu lieu à Manhattan s'est produite autour de 1799, alors que le fantôme de Peter Stuyvesant a été vu à l'église Saint-Marc (voir page suivante).

CI-DESSOUS : Les soldats hollandais, menés par Peter Stuyvesant, quittant la Nouvelle-Amsterdam après l'avoir cédée aux Anglais.

avoir été déplacées : des fantômes portant des vêtements de l'époque victorienne ont choisi de le suivre.

MANHATTAN, NEW YORK

L'arrondissement de Manhattan, centre commercial, financier et culturel de la ville de New York, est riche de plusieurs attractions et structures architecturales d'intérêt. Le nom *Manhattan* est dérivé de *manna-hata*, lequel signifie « île aux nombreuses collines », dans la langue de la tribu Delaware.

La première apparition dans le secteur s'est probablement produite vers 1799, alors que le fantôme de l'un des maires les plus influents de New York, Peter Stuyvesant, a supposément été vu.

Cela s'est produit à l'église Saint-Marc, sur la 10e Rue, entre et Union Square et Astor Place, où il est apparu au complet, avec sa jambe de bois.

Chumley's, sur la rue Bedford, était un ancien bar clandestin et il n'arbore toujours pas d'enseigne aujourd'hui. C'était également un lieu de rencontre populaire auprès de l'intelligentsia de l'époque, dont Steinbeck, Scott Fitzgerald, Eugene O'Neill, Dos Passos, Faulkner, Edna Saint-Vincent Millay, Anaïs Nin, Orson Welles et James Thurber faisaient partie. C'est maintenant un resto-bar populaire, dissimulé derrière un pâté de maisons. La propriétaire initiale, Henrietta Chumley, est supposée hanter le bâtiment. Elle aurait l'habitude de déplacer les meubles, quand personne ne regarde.

Un vieil hôpital, situé dans le Bronx, a été démoli dans les années 1830 pour permettre la construction de l'Université Fordham. Certains des bâtiments sont érigés sur les anciens sites du dépôt mortuaire et du crématorium et le secteur est très hanté. On y a observé de nombreuses apparitions et vu des chaises se déplacer et des portes s'ouvrir et se refermer, sans intervention humaine.

ALCATRAZ, SAN FRANCISCO, CALIFORNIE

Alcatraz, une île rocheuse située au milieu de la baie de San Francisco, a déjà été appelée « l'île aux pélicans » et les Autochtones américains, croyant fermement que cette île abritait des esprits maléfiques, l'évitaient soigneusement. Mais c'est à l'époque où Alcatraz servait de pénitencier fédéral que l'endroit est non seulement devenu infâme, mais aussi hanté par de nombreux fantômes.

PAGE OPPOSÉE ET CI-CONTRE : L'église Saint-Marc, New York.

PAGE 126 : Le pénitencier d'Alcatraz est hanté par plusieurs criminels notoires, dont Al Capone.

Al Capone ne s'est pas contenté de mourir à la prison, il y est revenu pour la hanter et certains autres de ses contemporains sont réputés la visiter encore aujourd'hui. Parmi ces individus, on retrouve les spectres de George « la mitraille » Kelly, qui a été vu dans la chapelle et dans la blanchisserie; Alvin « l'affreux » Karpis, membre du gang de Ma Baker, qui s'est suicidé en Espagne, est censé hanter la boulangerie et la cuisine de l'ancien pénitencier.

Même Mark Twain avait ressenti l'atmosphère étrange de l'île, la disant « froide comme en hiver, même pendant les mois d'été ».

Le fantôme d'un homme, vraisemblablement assassiné alors qu'il était en isolement, apparaît parfois, torse nu, dans la cellule 14D. Un prisonnier qui y a été incarcéré ultérieurement a rapporté qu'une entité aux yeux verts et brillants l'avait attaqué. Ce prisonnier a finalement été retrouvé mort : il avait été étranglé et son cou affichait des contusions. Le lendemain, lors du décompte des

prisonniers, on a constaté qu'il y en avait un de trop. S'agirait-il du fantôme, qui se serait glissé parmi les détenus?

Trois individus, qui avaient tenté de s'échapper mais qui sont morts à la prison, hantent le corridor d'utilités publiques du Bloc C, alors qu'un autre a été vu dans le bloc de cellules *Michigan Avenue*. L'apparition regarde avec insistance celui qui le voit et une odeur viciée, des bruits de fracas et des cris complètent la manifestation.

La maison qui est demeurée celle du directeur est, elle aussi, hantée. Il semble qu'un groupe de gardes qui y jouaient une partie de cartes, il y a quelques années, ont vu un fantôme se joindre à eux et distribuer des cartes. Les gardes, terrorisés, se sont enfuis.

L'une des observations les plus bizarres a eu lieu dans les années 1950. L'épouse du directeur était en train d'étendre son linge sur la corde, lorsqu'elle a vu cinquante ou soixante soldats sur la côte, portant les uniformes en vigueur pendant la guerre de Sécession. Un employé de l'administration a lui aussi vu les soldats et les deux témoins ont entendu des tirs de canon. Aucun d'entre eux ne savaient qu'Alcatraz avait servi de fort, pendant cette guerre civile.

Certains ont affirmé avoir vu le phare à travers la brume, alors qu'il avait été démoli plusieurs années plus tôt.

SAINTE-AUGUSTINE, FLORIDE

Le *Old Spanish Military Hospital*, situé à Sainte-Augustine, en Floride, était initialement une église, connue sous le nom de *Our Lady of Guadelupe*. Si le bâtiment qui existe aujourd'hui n'est qu'une réplique de l'original, cela n'a pas empêché les manifestations de se poursuivre sur le site, qu'on croit être celui du cimetière des Indiens Timucuan.

Les Timucuans étaient des Autochtones américains qui ont déjà vécu en Floride et dans certaines parties de la Géorgie. Leur prospère communauté a été décimée par la maladie et la guerre, après l'arrivée des Espagnols. Il ne restait que quelques Timucuans, lorsque les États-Unis ont acquis la Floride, en 1821, et, en tant qu'entité, la tribu a cessé d'exister. Les Timucuans portaient de nombreux tatous et les hommes, dont la coiffure consistait en un chignon sur le dessus de la tête, étaient plus grands que les envahisseurs espagnols, de plusieurs centimètres.

Sainte-Augustine, en Floride, possède de nombreux bâtiments historiques, mais aucun n'est aussi vieux que le Castillo de San Marcos, *un fort datant du XVII*[e] *siècle. Il symbolise le choc des cultures résultant de l'unification de l'Amérique et est le siège de nombreux phénomènes paranormaux.*

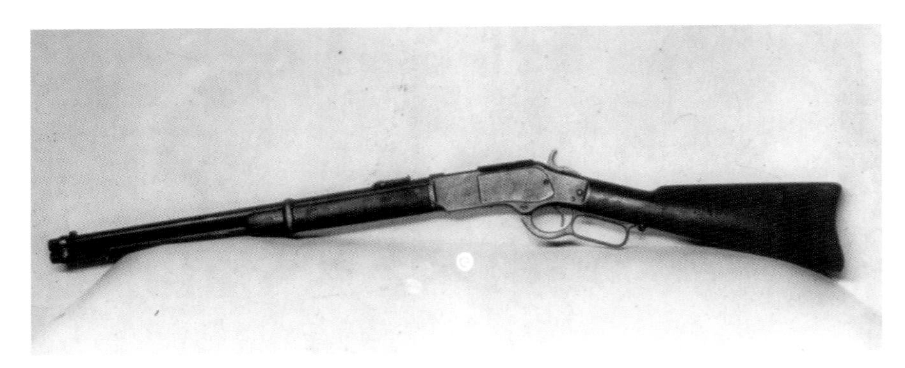

Ce lieu de sépulture aurait été créé entre les années 1100 et 1300 et on y a récupéré beaucoup d'objets en poterie et deux squelettes complets. Des experts en phénomènes paranormaux y ont également effectué des recherches, au cours desquelles quatre témoins ont vu un tuteur de jardin être lancé vers l'un des chercheurs. Après une visite des lieux, certaines personnes ont affirmé avoir constaté que des éraflures étaient apparues sur leur dos, alors que d'autres ont vu des objets bouger. Certains jurent qu'ils ont observé des petits globes étranges et affirment même avoir photographié le phénomène.

LA MAISON WINCHESTER, SAN JOSE, CALIFORNIE

Tout le monde sait que le nom Winchester est celui d'un célèbre fusil à répétition, souvent décrit comme étant « le fusil qui conquit l'Ouest ». Le 30 septembre 1862, à l'apogée de la guerre de Sécession, William Wirt Winchester, héritier de la *Winchester Repeating Arms Company*, épousait Sarah Pardee, de New Haven.

Quatre ans plus tard, leur fille, Annie, mourait presque tout de suite après sa naissance. Sarah en a évidemment été très affectée et, pendant quelque temps, elle a semblé être au bord de la folie. Comme pour aggraver sa détresse, une autre tragédie s'est produite alors que William, devenu propriétaire de l'empire Winchester, est décédé de la tuberculose, le 7 mars 1881, léguant toute sa fortune à son épouse.

Sarah était inconsolable après la perte

de toute sa famille immédiate. Une amie lui a conseillé de consulter un médium spiritualiste, qui l'a informée qu'une malédiction planait sur sa famille. Des milliers de personnes avaient été tuées avec des fusils Winchester. Leurs esprits cherchaient maintenant à se venger.

Peu de temps après cette séance, Sarah, croyant être guidée par l'esprit de son mari, a quitté New Haven pour la Californie. Elle est arrivée dans la vallée de Santa Clara en 1884, où elle a fait l'acquisition d'une maison de six pièces, toujours en construction, et dont elle a rejeté les plans pour les remplacer par les siens. Pendant les trente-six années qui ont suivi, elle a frénétiquement poursuivi l'agrandissement de la maison, en utilisant ce que le médium avait appelé « l'argent du sang », ajoutant un dédale de pièces et d'escaliers qui semblent mener nulle part.

Sarah avait maintenant la conviction que chaque personne qui avait été tuée au moyen d'un pistolet Winchester hantait désormais sa maison et que, tant qu'elle poursuivrait la construction, tous ces esprits demeureraient silencieux. Elle espérait qu'en créant un bâtiment aussi complexe, ils ne pourraient pas la trouver.

Il semble que, d'une certaine façon, elle ait coexisté avec les fantômes et chaque nuit, elle dormait dans une chambre différente, ce qui ne posait pas de problème, la maison en comptant désormais cent soixante.

Obsédée par le nombre treize, elle l'a intégré de différentes façons partout dans toute la maison, espérant se prémunir contre les esprits malveillants. Théodore Roosevelt, qui lui a rendu visite en 1903, s'est fait dire par Sarah qu'il ne pouvait entrer, la maison n'étant ouverte qu'aux fantômes.

Sarah est décédée à l'âge de 83 ans et la résidence, ayant survécu au tremblement de terre qui a détruit San Francisco en 1906, est devenue un lieu d'intérêt historique en Californie, étant décrite comme « une grande construction bizarre, composée d'un nombre indéterminé de pièces ». Depuis que la maison est ouverte au public, les employés, les visiteurs et des médiums de toutes sortes ont fait d'étranges rencontres.

Des bruits de pas, des portes qui s'ouvrent ou se referment violemment, de la musique d'orgue, des voix mystérieuses, des fenêtres sur lesquelles on frappe si fort qu'elles éclatent, des endroits où il fait plus froid, des poignées de porte qui tournent toutes seules – toutes ces expériences semblent s'être produites à un moment donné.

PAGE OPPOSÉE, EN HAUT : La célèbre carabine à répétition Winchester qui a appartenu à Jesse James.

PAGE OPPOSÉE, EN BAS : Les souffrances de Sarah Winchester ont été exacerbées par un médium qui a mentionné qu'une malédiction, proférée par tous ceux qui avaient été tués par des fusils Winchester, planait sur sa famille.

À GAUCHE : Théodore Roosevelt a rendu visite à la Maison Winchester en 1903. Il a été renvoyé par Sarah, qui était alors gravement perturbée.

THE ALAMO (MISSION DE SAN ANTONIO DEVALERA, SAN ANTONIO, TEXAS)

San Antonio de Valero, établie en 1718, était l'une des missions créées par les moines Franciscains d'Espagne qui voulaient convertir les Autochtones américains et coloniser la nouvelle Espagne du Nord. Cette mission a été en activité jusqu'à sa dissolution, en 1793, alors que ses terres et ses bâtiments ont été distribués à la population locale. Plus tard, une compagnie de la cavalerie espagnole, envoyée pour protéger les colonies dans la région de San Antonio, a décidé d'installer ses quartiers généraux dans la vieille mission.

Le 23 février 1836, dans le cadre de l'incessante guerre texane de l'Indépendance et de la rébellion contre l'autorité du dictateur autoproclamé du Mexique, le Général San Anna, le Colonel William B. Travis est arrivé à la tête de 189 volontaires texans, pour soutenir les défenseurs qui se trouvaient à l'intérieur de la garnison contre l'avancée de l'armée mexicaine. La garnison avait maintenant été rebaptisée « Alamo » et, durant les treize jours suivants, elle allait être le siège d'une bataille sanglante, au cours de laquelle les légendaires William Travis, Davy Crockett, Jim Bowie et près de la moitié des défenseurs, y laisseraient leur vie.

Malgré la perte tragique des Texans, les progrès de l'armée mexicaine avaient été considérablement ralentis, permettant à Sam Houston de réunir ses troupes et d'assurer l'approvisionnement nécessaire pour mener la bataille de San Jacinto, laquelle allait permettre aux Texans de gagner la guerre.

Encore de nos jours, des fantômes d'hommes défigurés peuvent être vus en train de passer au travers les murs et certaines personnes ont affirmé avoir vu Travis et Bowie, de même que des hommes à cheval. La nuit, on peut entendre des cris provenant de la mission.

À l'opposé et ci-dessous : The Alamo, *théâtre de l'un des sièges les plus tragiques de l'histoire américaine.*

LA BANQUE D'ANGLETERRE, LONDRES

Philip, le frère de Sarah Whitehead, employé de la Banque d'Angleterre, avait été accusé d'être un faussaire. En 1811, il a été arrêté, trouvé coupable et pendu. Les événements ont semblé déstabiliser l'esprit de Sarah qui, chaque jour des vingt-cinq années qui allaient suivre, et ce, jusqu'à sa mort en 1836, se rendrait à la banque, à la recherche de son frère. Son fantôme hante le petit jardin qui est situé dans le centre du bâtiment.

CI-DESSOUS : La Banque d'Angleterre est désignée par la « vieille dame de Threadneedle Street ».

PAGE OPPOSÉE : La station Liverpool Street, Londres – site initial de Bedlam.

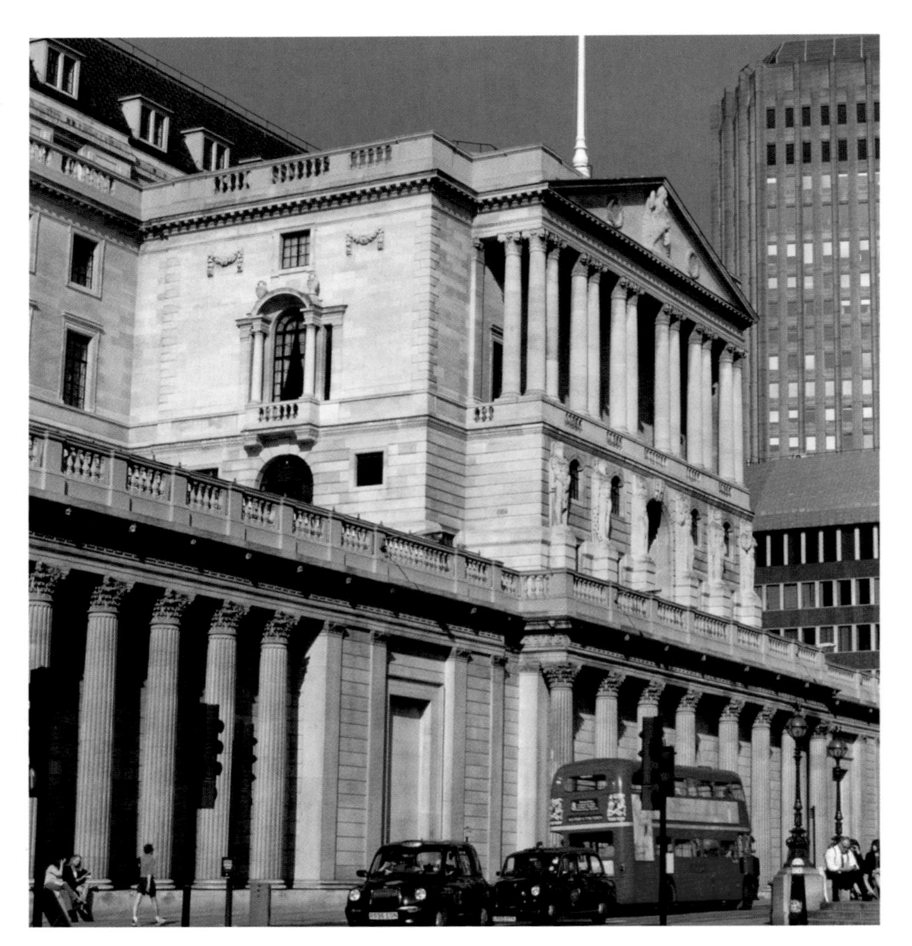

Un autre phénomène de hantise bizarre est associé à l'édifice. Il y a de nombreuses années, un géant vraiment énorme travaillait comme caissier à la banque. Il était obsédé par la crainte morbide qu'après sa mort, les résurrectionnistes voleraient son cadavre. Il a donc tenté de convaincre les gouverneurs d'enterrer son corps sous la banque afin de le protéger. Il semble qu'ils aient accédé à son souhait, des ouvriers apportant plus tard des altérations au bâtiment ayant en effet trouvé un cercueil en plomb, de huit pieds de long, entouré d'une robuste chaîne de fer. Depuis, le fantôme d'un homme exceptionnellement grand peut parfois être vu dans le secteur.

BEDLAM, LONDRES

En 1247, l'Hôpital Royal de Bethléem, prieuré dédié à Sainte-Marie de Bethléem, était fondé à Londres. Pendant la plus grande partie de son histoire, il a toutefois servi d'asile pour les malades mentaux – connu sous le nom de *Bedlam* – un mot qui a fini par être utilisé pour désigner les asiles d'aliénés en général ou pour décrire le tumulte et la confusion. Il occupait

initialement le site de ce qui est aujourd'hui la station Liverpool Street mais, de 1675 à 1815, il a été établi à Moorfields, avant d'être déménagé sur le terrain actuel du Musée impérial de la guerre. Pendant la Deuxième guerre mondiale, une unité de ballons de protection était stationnée sur le terrain du musée et ses membres ont raconté avoir entendu des pleurs et des grognements, de même que le cliquetis de chaînes.

L'une des nombreuses histoires qui peuvent expliquer les manifestations liées à Bedlam date de 1780, alors qu'une servante, appelée Rebecca, est tombée amoureuse de son maître. Un jour, il l'a remerciée de ses services et, glissant une guinée d'or dans sa main, lui a indiqué froidement qu'il partait en voyage. Ce rejet imprévu a rendu folle la pauvre fille qui, après son admission à Bedlam, allait y passer le reste de sa vie, tenant fermement dans sa main la pièce qui devait servir à couvrir les frais de ses funérailles. À la mort de Rebecca, un préposé a retiré la pièce de sa main encore chaude. Le fantôme aux yeux fous de Rebecca a plus tard été vu, cherchant la pièce volée. Les préposés et les patients ont été, à certaines occasions, confrontés au spectre, qui leur crie de lui rendre son argent. Lorsque l'asile a été transféré sur Lambeth Road, en 1815, le fantôme de Rebecca l'a suivi, où il poursuit sa fouille sans fin.

BLICKING HALL, NORFOLK, ANGLETERRE

Sir John Fastolfe (immortalisé par William Shakespeare sous le nom de «Falstaff») a vendu Blicking Hall à son voisin, Geoffrey Boleyn, en 1437. En 1505, le petit-fils de Geoffrey, Sir Thomas Boleyn, dont la fille, Anne, allait devenir la deuxième épouse d'Henri VIII, en a hérité. Anne devait plus tard être exécutée en 1536, après avoir été accusée d'adultère, mais il est plus probable que sa mise à mort soit due à son incapacité de donner un fils et un héritier au roi d'Angleterre.

Le fantôme d'Anne Boleyn a été vu à plusieurs endroits (voir aussi page 145, la Tour de Londres), mais ses apparitions au lieu de sa naissance sont probablement celles qui sont le mieux documentées. À Blicking Hall, la maison familiale, elle aurait été vue sans tête, le jour de l'anniversaire de son exécution : parfois assise, tenant sa propre tête sur ses genoux, alors qu'en d'autres circonstances, vers minuit, elle apparaît, toujours sans tête, dans un fiacre mené par un cocher décapité et quatre chevaux eux aussi privés de leur tête.

Quand le National Trust Angleterre, Pays de Galles et Irlande du Nord a pris possession du bâtiment, en 1946, l'un de ses administrateurs a clairement vu le fantôme d'Anne, portant une longue robe grise, agrémentée d'un col de dentelle blanc. Il a demandé s'il pouvait l'aider, ce à quoi l'apparition a répondu : «Ce que je cherche a disparu depuis longtemps».

Anne Boleyn a été vue de nouveau en 1985, quand le concierge a été réveillé par des bruits de pas dans le corridor, à l'extérieur de la chambre qu'il partageait avec son épouse. Il a entendu les pas se rapprocher, marcher sur un petit tapis installé au pied de la porte et entrer dans la

CI-DESSOUS : Blicking Hall, dans le Norfolk, Angleterre, maison familiale d'Anne Boleyn.

PAGE OPPOSÉE : Le palais de Buckingham, autrefois le siège des ducs de Buckingham, est aujourd'hui la résidence londonienne de la reine Élizabeth II.

chambre. Peu importe de qui il s'agissait, la personne se tenait debout, au pied du lit, et l'homme a pensé qu'il s'agissait de son épouse, revenant de la salle de bains. En allumant la lumière, il a constaté avec horreur que sa femme dormait profondément à côté de lui – la chambre était vide. Il a appris seulement le lendemain que la veille marquait le jour de l'anniversaire de l'exécution d'Anne Boleyn.

LE PALAIS DE BUCKINGHAM, LONDRES

Le palais de Buckingham était, au départ, une maison de ville qui appartenait, depuis le début de XVIIIe siècle, aux ducs de Buckingham.

On prétend qu'elle est hantée par le fantôme d'un moine décédé dans une cellule d'isolement du prieuré qui occupait le terrain jusqu'en 1539. Il apparaît dans le temps de Noël, portant sa robe brune et traînant ses chaînes, sur la terrasse arrière du palais. Il monte et descend les marches, en gémissant pendant quelques minutes, puis il disparaît.

Le palais est aussi hanté par le Major John Gwynne, secrétaire privé du roi Édouard VII, qui s'est suicidé au début du XXe siècle, à la suite d'un divorce scandaleux. Quand la publicité entourant cet événement est devenue trop lourde pour le major, il s'est tiré une balle dans la

tête dans son bureau, au premier étage, d'où on peut encore entendre des coups de feu fantomatiques.

CHEYNE WALK, CHELSEA, LONDRES

À l'époque des Tudor, le secteur, où se trouve aujourd'hui Cheyne Walk, faisait partie du domaine royal. Le fantôme d'un ours, qui a hanté le jardin d'une maison de Cheyne Walk jusque dans le milieu des années 1920, semble trouver ses origines à l'époque où l'appâtage des ours était pratiqué en Angleterre.

On croit qu'il y avait une fosse aux ours dans le voisinage, jusqu'au XVIe siècle. Un ours a d'ailleurs été vu à la Tour de Londres.

La romancière George Eliot, dont les principaux ouvrages comprennent notamment *Le moulin sur la floss* (1860), *Silas Marner* (1861), *Middlemarch* (1871-1872) et *Daniel Deronda* (1876), est décédée au 4, Cheyne Walk, en décembre 1880. Une de ses amies, Katharine Macqoid, l'a vue debout, au pied de son lit, et ne comprenait pas pourquoi cet événement se produisait. Elle a découvert

plus tard que George Eliot était morte, cette nuit-là.

Le K*ing's Head and Eight Bells* est aussi situé sur Cheyne Walk. La présence invisible qui hante l'établissement, lequel n'est plus un pub, mais une brasserie, a, semble-t-il, causé de nombreux problèmes au propriétaire et à son épouse, alors qu'il devient particulièrement actif quand un nouvel employé est embauché, surtout si la personne est une femme. Des témoins ont senti quelqu'un les frôler, surtout dans les escaliers, et des objets ont été inexplicablement déplacés. Les autres activités du fantôme comprennent l'ouverture des cylindres à gaz et la fermeture du système de chauffage central.

PAGE OPPOSÉE, À GAUCHE : Cheyne Walk, Chelsea, faisait partie du domaine royal à l'époque des Tudor.

PAGE OPPOSÉE, À DROITE : Le King's Head and Eight Bells*, un ancien un pub devenu brasserie, est réputé hanté par une présence invisible.*

À DROITE : George Eliot est décédée au 4, Cheyne Walk et son fantôme est apparu à l'une de ses amies.

LES AIGUILLES DE CLÉOPÂTRE, LONDRES

Les Aiguilles de Cléopâtre sont deux obélisques rapportés d'Égypte en 1878. L'un d'entre eux est installé è l'entrée de l'estuaire de la Tamise, à Londres, l'autre se dresse désormais à Central Park, à New York. Aucun de ces monuments n'est rattaché à la légendaire Cléopâtre VII, même s'ils portent tous deux son nom. En fait, l'obélisque de Londres a été construit pour Thoutmôsis III (qui a régné de 1504 à 1450 avant notre ère) et est gravé de hiéroglyphes qui le louangent. Ramsès le Grand a plus tard fait ajouter d'autres inscriptions pour commémorer ses victoires. Bien que cela soit dénué de sens, l'obélisque de Londres est censé avoir reçu une malédiction de Cléopâtre.

Toutefois, une apparition étrange et silencieuse, que l'on croit être le fantôme de l'une des nombreuses personnes à s'être suicidées à cet endroit, a été vue à plusieurs reprises. L'apparition serait de sexe masculin, grande et nue, et des témoins l'ont vu sauter du parapet, près de l'obélisque, et plonger silencieusement dans l'eau, sans faire d'éclaboussure. D'autres ont rapporté avoir entendu des rires étranges et des gémissements, dans les environs.

PAGE OPPOSÉE : L'Aiguille de Cléopâtre, Londres. Sa jumelle est située à Central Park, à New York.

À DROITE : Récemment, le fantôme de Thomas Wolsey s'est manifesté au Palais d'Hampton Court.

CI-DESSOUS, À DROITE : Le Palais d'Hampton Court.

PALAIS D'HAMPTON COURT, ANGLETERRE

Plusieurs fantômes hantent le palais et ce sont tous ceux de personnages célèbres qui, d'une façon ou d'une autre, sont associés à l'endroit. Le palais est situé à environ 19 km en amont de Londres, sur la Tamise. Le cardinal Thomas Wolsey, conseiller en chef d'Henry VIII, a commencé la reconstruction de ce manoir datant du XIVe siècle en 1514, jetant les bases du bâtiment tel qu'il est aujourd'hui. Quand il est tombé en disgrâce, Wolsey a été forcé de remettre son palais au roi. On prétend qu'une apparition, qu'on croit être celle de Wolsey, a été vue lors d'une représentation publique organisée en 1966.

Catherine Howard hante elle aussi la propriété. Après la découverte de son infidélité, la reine y a passé plusieurs heures, priant pour obtenir le pardon de son mari, le roi Henry VIII.

Il semble qu'on l'aurait transportée de force à l'échafaud, le 13 février 1542 ; depuis, des témoins affirment avoir entendu ses poings frapper sur la porte de la chapelle et ses cris suppliant qu'on l'épargne; on l'a également vue marcher dans le jardin, de même que dans la longue galerie, où elle semble fuir devant un poursuivant inconnu, ce qui a d'ailleurs entraîné la fermeture de la galerie pendant un certain temps, au XIXe siècle.

Le spectre de Jane Seymour, quant à lui, apparaît tout de blanc vêtu, marchant dans la cour de l'horloge et à la *Silver Stick Gallery*, tenant une chandelle. Jane Seymour est morte à la suite d'une infection, contractée après l'accouchement, en 1537, du fils et héritier d'Henry VIII, le futur Édouard VI. Elle est habituellement

vue le 12 octobre, date de l'anniversaire de naissance d'Édouard.

Le fantôme de Sybil Penn, qui est décédée de la variole en 1562 et enterrée dans la vieille église a également été vu. Elle a été la nourrice d'Édouard VI, jusqu'à ce qu'il meure, à l'âge de seize ans, en 1553. Elle n'a pas hanté la maison avant que son cercueil ne soit déplacé, en 1821. Sa voix peut soudainement être entendue dans le corridor, de même que le bourdonnement de son rouet, provenant du mur de l'aile sud-ouest. Sybil Penn a également été aperçue à, qui était autrefois sa résidence.

Vers la fin du siècle dernier, deux squelettes ont été retrouvés dans une fosse peu profonde, sous l'embrasure d'une porte, à la suite d'un certain nombre de manifestations qui se produisaient la nuit.

Pendant la Première guerre mondiale, un policier en service au palais a vu deux hommes et huit femmes debout, faisant face à la grille avant. Il pouvait distinctement entendre le bruissement des robes des femmes, avant que tout cela ne disparaisse, comme par enchantement.

À GAUCHE ET CI-DESSOUS : Les fantômes de Catherine Howard et de Jane Seymour, deux des épouses d'Henry VIII, sont réputés hanter le palais d'Hampton Court.

PAGE OPPOSÉE : La cour intérieure du palais d'Hampton Court.

PAGES 142 ET 143 : Le château de Caernarfon est probablement le plus impressionnant bâtiment médiéval du Pays de Galles. On le dit hanté par les fantômes de soldats anglais, de même que par une femme qui flotte et qui été vue en 2001.

PRISON DE NEWGATE, LONDRES

La prison est située au coin de Newgate Street et de Old Bailey, à l'entrée de la ville de Londres. Elle doit son nom, « nouvelle grille », au fait qu'elle a été ajoutée aux quatre autres entrées du mur qui entourait la ville. La prison initiale a été construite en 1188 et rebâtie en 1770. Elle a été gravement endommagée pendant les *Gordon Riots* de 1780, à la suite de quoi une nouvelle prison a été complétée en 1782.

En 1783, la potence de Londres a été déplacée de Tyburn à Newgate, où les exécutions publiques ont continué à attirer les foules nombreuses. Le nouvel échafaud, construit à l'extérieur, faisait en sorte que douze hommes pouvaient être

La Cour criminelle centrale Old Bailey, à Londres. Entre Newgate et Bailey se trouvait un petit passage complètement couvert, appelé Birdcage Walk, qui menait aux fosses où les prisonniers exécutés étaient enterrés, recouverts de chaux. La Cour criminelle est censée être hantée par un spectre fantomatique, qui apparaît souvent après qu'un grave procès ait été instruit.

exécutés en même temps. La prison a été démolie en 1902 pour faire place à la Cour criminelle centrale.

Entre Newgate et Bailey se trouvait un petit passage complètement couvert, appelé *Birdcage Walk* (ou *Dead Man's Walk*), qui menait aux fosses où les prisonniers exécutés étaient enterrés, recouverts de chaux. Jack Shepherd, le célèbre cambrioleur acrobate, y a été pendu en 1724, après s'être échappé trois fois. Des témoins ont vu une silhouette sombre dans le *Dead Man's Walk*, tard le soir, qu'on croit être le fantôme de Shepherd, et ont également entendu le cliquetis de chaînes et de bruits de pas lourds.

Le mur couvert de lierre de la Cour Amen, derrière l'ancienne prison de Newgate et le cimetière, lequel pourrait être ce qui servait de route aux prisonniers qui s'évadaient, est supposé être hanté par une manifestation très déplaisante, connue depuis des siècles comme étant le chien noir de Newgate. On l'a vu ramper sur le dessus du mur, chaque fois qu'une exécution devait avoir lieu. Un détenu, Luke Hutton, a écrit qu'il croyait qu'il s'agissait du fantôme d'un ancien prisonnier, appelé Scholler, qui avait été mangé par des prisonniers affamés.

Le fantôme d'Amélia Dyer, la tueuse de bébés du XIXe siècle, a également été vu sur le site. On rapporte qu'elle avait dit à Scott, le directeur de la prison, alors qu'elle se rendait à l'échafaud, le 10 juin 1896 : « Je vous reverrai un jour, monsieur. » Quelques années plus tard, Scott était assis dans la chambre des gardiens lorsqu'il a aperçu le visage d'Amélia, dans la grille de la porte. Après s'être levé, il a ouvert la porte, mais il n'y avait rien, sauf le mouchoir d'une femme sur le plancher ; or, il n'y avait pas eu de détenus de sexe féminin depuis très longtemps. Scott a été photographié devant la prison peu de temps après et le visage d'Amélia est soi-disant apparu sur la photo, au moment du développement.

LA TOUR DE LONDRES

Bien que la Tour de Londres soit le reflet de l'héritage de la monarchie britannique, elle a été longtemps associée à la cruauté et aux effusions de sang. Les événements qui se sont produits à la « Tour sanglante », à la « Porte des traîtres » et au donjon « *Little ease* » font de cette tour l'endroit le plus hanté d'Angleterre.

Certains prisonniers qui y ont été incarcérés ont joué des rôles importants dans l'histoire de la Grande-Bretagne, mais des conspirations et des conflits de pouvoir ont entraîné leur dévolution. Plusieurs ont été interrogés, torturés et condamnés sans procès. D'innombrables victimes ont été exécutées sur la colline de la Tour, à l'extérieur, et seulement sept ont été décapitées en ses murs, à la Tour verte. On compte parmi elles trois reines d'Angleterre.

Il s'agit d'Anne Boleyn et de Catherine Howard, deux épouses d'Henry VIII, et de Lady Jane Grey, qui n'a été reine que pendant quelques jours. Elles ont toutes trois été décapitées et cinq des sept personnes exécutés dans la Tour sont réputées la hanter.

Sir Thomas Becket (1118-1170), archevêque de Cantorbéry, a été assassiné dans sa cathédrale par quatre chevaliers qui avaient interprété les paroles du roi Henry II comme étant un ordre ferme. Le fantôme de Becket est censé avoir frappé la Porte des traîtres deux fois, la réduisant en miettes, alors que des activités poltergeist ont été rapportées dans la pièce consacrée à sa mémoire : des portes qui s'ouvrent et se ferment selon leur volonté, le son de sandales de moines battant le sol et celui des pleurs d'un enfant inconnu.

Dominant le plat pays des Angles de l'Est, la magnifique cathédrale d'Ély, connue sous le nom de « navire de la Fens », a d'abord servi de monastère pour les nonnes et les moines, jusqu'à ce que les Vikings, lors de l'invasion de 869, la détruisent complètement. Cent ans plus tard, le site a été consacré de nouveau à un monastère Bénédictin, mais ce n'est pas avant le XIe siècle que les travaux ont commencé sur la structure que nous connaissons aujourd'hui, laquelle date de 1082. Cathédrale depuis 1109, Ély a été témoin de plusieurs décès, incluant ceux de certains ouvriers qui ont participé à sa construction.

On y a vu plusieurs esprits. Pendant sa restauration, dans les années 1990, les travailleurs ont rapporté avoir vu des silhouettes ressemblant à des moines marcher dans le jardin et dans l'escalier du clocher. Des phénomènes étranges ont également été observés, comme des outils qui disparaissent pour réapparaître plus tard.

À n'en pas douter, l'endroit le plus hanté est ce qui est aujourd'hui la boutique de cadeaux de la cathédrale, où des frissons soudains et des endroits plus froids peuvent être ressentis.

Henry VI a été emprisonné dans la tour Wakefield et a été tué par une main inconnue, le 21 mai 1471. L'apparition de son fantôme peut être vue à l'anniversaire de sa mort, alors qu'il arpente la pièce. Il a l'air piteux, avec son visage triste et blafard et, lorsque l'horloge sonne minuit, il disparaît dans les murs.

Dans la Tour sanglante, les fantômes d'Édouard V et de son frère, Richard, duc d'York, surnommés les Princes de la Tour, probablement assassinés par leur oncle, Richard III, vers 1483, ont été vus debout, main dans la main, vêtus de leurs robes de nuit. Leurs squelettes ont été découverts en 1674 et ont enfin été enterrés de façon appropriée.

Le cardinal de Wolsey, comme Thomas Wentworth, comte de Strafford, sont également apparus dans les années où d'autres prisonniers attendaient leur exécution, dans les confins de la Tour. Anne Boleyn hante la maison de la reine, où elle a été incarcérée jusqu'à son exécution, en 1536, et a été vue par plusieurs personnes, incluant des sentinelles, qui ont tenté d'attaquer l'apparition à l'aide de leurs baïonnettes.

Elle apparaît le 19 mai, anniversaire de sa mort. Elle a également été aperçue à l'extérieur de la chapelle; des hallebardiers ont également rapporté avoir distingué des lumières étranges clignotant au milieu de la nuit, alors que d'autres ont vu une procession de courtisans des Tudor, glissant dans l'allée de la chapelle et menée par une femme sans tête, qui disparaît dans un mur.

George Boleyn, vicomte de Rochford, était le frère d'Anne Boleyn. Il a été accusé d'avoir commis l'inceste avec elle et a été exécuté, comme sa sœur, en 1536.

PAGE OPPOSÉE : La Tour de Londres n'est pas seulement le reflet de l'héritage de la monarchie britannique, elle évoque également la cruauté des jeux de pouvoir.

CI-DESSUS : Lady Jane Grey n'a été reine que pendant quelques jours, avant d'être décapitée.

Il a été pendu, noyé et écartelé dans la Tour. Depuis, son fantôme est supposé hanter les étages supérieurs.

On prétend que l'ombre de la hache

d'un bourreau passe au-dessus de la tour Verte pour s'arrêter à la tour Blanche. Elle est censée être liée à l'exécution de la mère du cardinal Pole, Margaret, comtesse de Salisbury, en 1541. Les cris qui ont été perçus dans ce secteur semblent reproduire son exécution, alors qu'elle s'est battue avec le bourreau, qui l'a pourchassée sur l'échafaud. Les gardes de la tour Blanche ont également été témoins de manifestations de fantômes; un homme a eu l'impression qu'il était broyé, alors qu'un autre a été flanqué d'une cape noire, passée par dessus sa tête, et entortillée autour de son cou; un troisième homme a dit avoir senti une présence invisible.

La promenade Northumberland est hantée par le spectre de John Dudley, duc de Northumberland, qui y a marché avant son exécution. Édouard VI, le jeune fils d'Henry VIII, avait entièrement confiance dans les conseils promulgués par le duc et, à l'insistance de Dudley, il a préféré à ses deux demi-sœurs, Marie et Élizabeth, Lady Jane Grey, la belle-fille de Dudley, pour en faire son héritière. À la mort d'Édouard, empoisonné par Dudley, le duc a hardiment proclamé que Jane était reine.

Le fantôme de Guilford Dudley a été reconnu dans la tour Beauchamp et sur la colline de la Tour. Il était le cinquième fils de John Dudley et l'époux de Lady Jane Grey. Son procès a eu lieu à Guildhall, le 13 novembre 1553, où il a été accusé de trahison. On dit qu'il a pleuré en se rendant à l'échafaud. Lady Jane Grey a,

elle aussi, été vue à la tour Beauchamp. Elle regarde l'exécution de son mari et son apparition répète sa propre mort, survenue le même jour. Elle a été aperçue à l'anniversaire de son exécution, flottant sur un nuage de brume chatoyante et glissant sur les remparts, avant de disparaître.

La tour de sel est l'endroit où repose pour l'éternité Henry Walpole, qui y a été emprisonné pour avoir commis le crime d'être un prêtre catholique. Il a été fréquemment et sévèrement supplicié et a été pendu, noyé et écartelé, le 7 avril 1595. Il n'est pas certain que l'étrange lueur jaune qui remplit la chambre lui soit associée, mais des visiteurs ont entendu des prières être récitées dans un long murmure et senti des doigts gelés toucher leur cou.

Le spectre de Sir Walter Raleigh, qui apparaît dans une forme assez solide, peut être vu pendant quelques instants, avant de disparaître.

Il a été incarcéré à la Tour, de 1603 à 1618, et des membres de la garde royale l'ont vu observer leur corps de garde.

En 1605, un groupe d'extrémistes catholiques a planifié les meurtres de Jacques Ier et du plus grand nombre de parlementaires possible, dans ce qu'il est convenu d'appeler la Conspiration des poudres. Le complot consistait à mettre sur le trône la plus jeune fille d'Henry VIII, Élizabeth, et à organiser son mariage avec un noble catholique. Le projet a été découvert et Thomas Percy, qui faisait

PAGE OPPOSÉE, EN HAUT À GAUCHE : Henry VI hante la tour Wakefield, son fantôme apparaissant à l'anniversaire de sa mort.

PAGE OPPOSÉE EN HAUT À DROITE ET AU CENTRE : Élizabeth Ire et Henry VIII.

CI-DESSUS : La Porte des traîtres, que les prisonniers, amenés par bateau, traversaient, avant d'entrer à la Tour de Londres.

partie de la conspiration, a été exécuté, au même titre que les autres. Les mains invisibles de Percy, qui a été incarcéré à la tour Martin, sont censées pousser les visiteurs qui ne s'y attendent pas, en bas de l'escalier.

Un visage a été vu, tant par le personnel que par les visiteurs, regardant au travers une fenêtre de la tour Saint-Thomas, alors qu'un jour, en 1817, Edmund Swifte a observé un tube de verre passer du blanc au bleu.

Des chorales de fantômes ont aussi été entendues et de nombreuses autres manifestations ont été rapportées, incluant de la fumée blanche émanant de l'un des canons, qui apparaît en changeant de forme.

On a souvent distingué des bruits de pas, arpentant les lieux, dans la tour Centrale, allant et venant, le long des remparts.

La Tour abrite également le spectre d'un ours : en 1864, un soldat a vu une apparition et a bondi sur lui avec sa baïonnette. On croit que ce fantôme est la réminiscence de l'époque où on pratiquait l'appâtage des ours sur les terrains de la Tour.

La tour Byward a été le siège d'une apparition dans les années 1980, alors qu'un membre de la garde royale, en devoir pendant la nuit, a repéré deux hallebardiers vêtus d'uniformes d'une époque lointaine, tenant une discussion animée, en fumant leurs pipes, assis de chaque côté du foyer.

Une silhouette très étrange a été vue tout près du secteur où les exécutions avaient lieu. L'homme, portant des vêtements gris, que le témoin pense être un uniforme des services publics pendant la Deuxième guerre mondiale, marchait, la tête inclinée, et a disparu peu après.

La tour Byward, l'une des cinq tours ceinturant la Tour de Londres, donne accès au mur d'enceinte. Pour y entrer, le soir, un mot de passe est exigé.

Le Château d'Arundel, situé près des Downs du Sud, dans l'un des plus beaux paysages champêtres de l'Angleterre, a été érigé à l'époque de la conquête normande, sur ce qui pourrait être des fondations plus anciennes. Depuis le XVIe siècle, il a été la résidence des ducs de Norfolk.

Trois spectres sont censés hanter le château : le premier est celui d'un homme qui a été vu dans la bibliothèque ; le deuxième est une petite fille qui s'est suicidée en se jetant de la tour Hiorne, alors que le troisième hante les quartiers des serviteurs. Le dernier fantôme a été vu en 1958, par un valet de pied en formation, qui n'a aperçu que la tête et les épaules d'un jeune homme portant une tunique à manches évasées.

Palace House, *qui surplombe le village de Beaulieu, de l'autre côté de la rivière du même nom, dans le Hampshire, Angleterre, a d'abord servi de résidence, en 1204, au gardien de l'abbaye de Beaulieu. Résidence ancestrale d'une branche de la famille des Montagu depuis 1538, il a été acheté par la Couronne à la suite de la Dissolution des monastères, effectuée par Henry VIII. Après avoir subi plusieurs agrandissements au fil des siècles, il représente désormais un bel exemple de maison champêtre de style gothique.*

Beaulieu est l'un des endroits les plus hantés d'Angleterre et, au cours des cent dernières années, plusieurs visions et la présence d'esprits invisibles ont été rapportées. Le révérend Robert Frazer Powles, vicaire de Beaulieu entre 1886 et 1939, a été témoin d'un si grand nombre d'apparitions de moines qu'il a commencé à les tenir pour acquises, faisant des commentaires tels que « Frère Simon était encore ici, hier soir. J'ai entendu ses bottes craquer. » À Palace House, *surtout dans les chambres à l'étage, plusieurs ont affirmé avoir senti de l'encens, ce qui était perçu comme le présage d'un danger imminent,couru par l'un des membres de la famille Montagu.*

La Dame grise est réputée être Isabelle, comtesse de Montagu, décédée en 1786. Elle est bruyante et traverse les murs des appartements privés. Elle a également été vue par certains visiteurs, qui l'ont méprise pour un guide costumé.

CHAPITRE QUATRE
CRÉATURES FANTOMATIQUES

CHIENS DE CHASSE FANTÔMES

L'animal le plus souvent aperçu dans une forme spectrale est un chien noir, que l'on désigne parfois comme *chien de l'enfer, chien de la damnation* ou *chien de garde du cimetière*. Cette créature est au centre du célèbre roman qui met en vedette Sherlock Holmes, Le *Chien des Baskerville*, probablement inspiré par le fantôme du chien noir des Angles de l'Est, bien que l'action se déroule dans la campagne de l'est de l'Angleterre.

Les légendes associées à ces chiens fantomatiques datent de plusieurs centaines d'années et on les raconte dans toute l'Angleterre. L'une des plus récentes, peut-être, est celle qui est liée à la mort du compositeur britannique Lionel Monckton, survenue en 1924.

Un jour, plusieurs amis de Monckton, dont Donald Calthrop, étaient en train de discuter, à leur club, lorsque Calthrop a eu la prémonition soudaine que quelque

Le « chien de garde du cimetière », l'un des nombreux types de chiens fantomatiques, est censé protéger les tombes de l'esprit maléfique du diable.

villageois étaient réunis à l'église Sainte-Marie quand un violent orage a éclaté. Soudain, un chien noir est apparu, illuminé par les éclairs intermittents. Tout le monde a vu la créature courir dans l'allée et deux personnes sont mortes de frayeur, alors qu'elles s'étaient agenouillées pour prier. Une troisième personne a également été très affectée par l'événement. Bien qu'elle ait survécu, elle est demeurée flétrie et recourbée. Le clocher de l'église est tombé, passant à travers le toit, et la porte située du côté nord de l'église présente des marques de brûlure, qui peuvent encore être constatées de nos jours.

À GAUCHE : Le Dartmoor, Devon. C'est l'endroit qu'a choisi Conan Doyle pour son roman, Le Chien des Baskerville, *fondé sur l'histoire du chien noir des Angles de l'Est.*

CI-DESSUS : L'apparition d'un chien noir à Bungay, dans le Suffolk, a laissé une telle impression sur les habitants qu'il est représenté sur différents articles dans la municipalité.

chose n'allait pas. La nouvelle de la mort de Monckton est alors tombée — apparemment au même moment où Calthrop apercevait un chien noir.

Mais une manifestation beaucoup plus terrifiante s'est produite en 1577, à Bungay, dans le Suffolk. La plupart des

Ce qu'ils ont observé est une effroyable créature, appelée *Black Shuck*. Décrite comme étant un chien de l'enfer, elle a été vue, errant dans les Angles de l'Est depuis l'époque des Vikings. De la même taille qu'un cheval, ce chien a des yeux enflammés et malveillants, rouges ou verts.

CI-DESSUS : Les vertiges du Château de Bungay, qui fut la résidence de Hugh Bigod.

À DROITE : La magnifique église de la Sainte-Trinité, à Blythburgh, dans le Suffolk. Fondée en 1125, elle est également connue sous le nom de Cathédrale des Marshes.

Le *Black Shuck* semble être associé à Hugh Bigod, comte de Norfolk, qui a organisé une rébellion contre le roi Henry II, en 1173. La légende veut qu'afin de garantir son succès, Bigod avait conclu un pacte avec le diable, en lui vendant son âme. Le diable lui a toutefois joué un tour et son armée a été défaite, le forçant à renoncer à ses propriétés, y compris son château de Bungay.

Il a défié le diable lequel, à titre de compromis, l'a changé en chien noir de l'enfer.

L'église de Blythburgh, dans le Suffolk, bâtiment magnifique également connu sous le nom de *Cathédrale des Marshes*, affiche elle aussi les marques d'un *Black Shuck* sur sa porte alors que, comme à Bungay, il a tenté d'entrer. Cette fois, il semble que le pouvoir de la prière ait été capable de sauver les paroissiens.

Un chien noir est également associé au château de Peel, sur l'île de Man, où la vision de l'apparition est devenue si fréquente que les gardes ont fini par la considérer comme un phénomène normal. La créature est supposée hanter les passages souterrains et faire écho aux rituels païens pratiqués autrefois dans le voisinage.

À GAUCHE : L'Ange de l'Est. Le village de Blythburgh est rempli de références aux anges, il n'est donc pas surprenant que, pour commémorer le millénaire, les habitants aient décidé de faire fabriquer un ange immense, en métal.

PAGE SUIVANTE :Les marques de brûlure du Black Shuck *sont toujours visibles sur la porte de l'église de Blythburgh.*

En 1907, à Budleigh Hill, dans le Somerset, un autre chien noir « avec des yeux malveillants, aussi grands que des soucoupes » a été vu, alors que dans le Yorkshire, l'animal, connu localement sous le nom de *Barguest*, a été repéré dans une gorge de calcaire, appelée *Troller's Gill*, près du village d'Applewick, au cœur des Dales.

La route qui relie St-Audreis à Perry Farm, dans le Somerset, est hantée par un chien noir, dont l'apparition serait le présage d'une mort imminente dans les environs. À Hatfield Peverel, dans l'Essex, un chien noir est supposé avoir été écrasé par une remorque, dans un chemin de campagne, entraînant l'explosion et l'incendie du véhicule et de son chauffeur.

Dans le nord de l'Angleterre, le chien noir est désigné par le nom *Padfoot*, alors qu'à Burnley, dans le Lancashire, on l'appelle *Shriker* ou *Trach*. On dit qu'ils apparaissent aux gens qui mourront bientôt et ils sont décrits comme étant de grandes créatures aux poils hirsutes et aux pattes larges. Un chien noir sans tête serait apparu à l'extérieur d'une vieille église à Manchester, en 1825. Il aurait posé ses pattes sur les épaules d'un commerçant, appelé Drabble qui, on le comprend, a pris la fuite.

L'illustre poétesse, romancière et biographe, Penelope Fitzgeral, participait, un jour, à un atelier d'écriture à Southwold, dans le Suffolk.

Elle allait démontrer l'exception à la règle que tous les chiens fantômes ne sont pas noirs, en voyant un chien de cette nature, de grande taille, mais blanc. Elle traversait Walberswick Common à dos de poney, quand la créature, approchant sans bruit à travers les fougères sèches, l'a soudainement confrontée. Elle disparut aussi abruptement qu'elle était apparue, mais Fitzgerald a appris plus tard que, depuis plus d'un siècle, à cet endroit, un chien blanc attend le retour de son maître.

Les chiens fantômes ne sont pas confinés à l'Angleterre. En effet, l'un des cas les mieux documentés s'est produit aux États-Unis. L'écrivain d'histoires canines, Albert Terhune, un Américain, a déjà été propriétaire d'un colley appelé Rex. Le chien est mort en 1916 et, quelque temps plus tard, le révérend Appleton Grannis est venu séjourner chez Terhune, à Sunnybank, Wayne, dans le New Jersey. L'ecclésiastique, dont la dernière visite remontait à bien longtemps, ne connaissait pas l'existence de Rex. Un jour, Grannis a vu un chien regarder à l'intérieur par une fenêtre. La description qu'il en a faite était très détaillée, comprenant même la cicatrice que portait le chien sur sa figure, et Terhune a immédiatement compris qu'il s'agissait de Rex. Le chien est apparu à plusieurs autres reprises et la famille a remarqué que les autres chiens qu'elle possédait évitaient délibérément les endroits où, pendant sa vie, Rex préférait dormir.

En 1953, à Sarina, en Australie occidentale, William Courtney a été forcé de faire euthanasier son chien, Lady. Cette même nuit, il a cru entendre Lady dans le corridor.

À GAUCHE : Un chien noir est apparu si souvent au Château de Peel, sur l'île de Man, que les gardes considèrent maintenant ces apparitions comme un phénomène normal.

CI-DESSUS : Un chien noir, ressemblant peut-être à celui-ci, est connu sous le nom de Padfoot, *dans le nord de l'Angleterre.*

À GAUCHE : Walberswick Common, dans le Suffolk, où Penelope Fitzgerald a vu un chien blanc spectral.

CI-DESSOUS : Paysage du Dumfriesshire.

PAGE SUIVANTE : Le château de Drumlanrig, Dumfries et Galloway, Écosse.

Les bruits se sont poursuivis et il a ensuite entendu le son familier du chien qui s'étendait sur le sol, à côté de son lit.

Vingt-et-un ans plus tard, à l'autre bout du monde, à Helsinki, en Finlande, Pia Virtakallio a clairement distingué le fantôme de son chien, un boxer appelé Cherry, debout, à côté d'elle. Fait plutôt singulier : le chien, mort deux ans plus tôt à l'âge de onze ans, était apparu beaucoup plus jeune, à l'âge où il était un chiot.

LE SINGE DU CHÂTEAU DE DRUMLANRIG

L'une des plus bizarres histoires impliquant un animal est celle du soi-disant singe du château de Drumlanrig. Seuls les celliers datent de la structure d'origine, bâtie au XIVᵉ siècle. Marie, reine d'Écosse y a habité en 1563, comme Bonnie Prince Charlie, en 1745, après sa tentative d'invasion ratée en Angleterre.

La résidence qui se dresse maintenant sur le site a été construite dans les années 1700 pour William Douglas, premier duc de Queensbury. Le droit de propriété est ensuite passé aux ducs de Buccleuch.

Cette maison est hantée par trois fantômes : celui d'un singe jaune, qui a été vu à plusieurs reprises, bien que son identité n'ait été connue que récemment; celui de Lady Anne Douglas, transportant sa tête coupée, et celui d'une petite fille, qui a été aperçue dans une chambre, flottant quelques centimètres au-dessus du sol.

Le sang d'une victime de meurtre a soi-disant été répandu sur le sol d'un des corridors et, malgré plusieurs tentatives, il ne peut être enlevé — un thème folklorique récurrent.

Des documents datant du XVIIIe siècle font état d'une pièce hantée à Drumlanrig, désignée comme étant la « chambre du singe jaune ». L'édifice a servi d'hôpital, pendant la Première guerre mondiale.

À DROITE : Les Highlands écossais où des grenouilles noires sont supposément coutumières.

PAGE OPPOSÉE, À GAUCHE : Une sorcière, transformée en lièvre, hante le château de Bolingbroke.

PAGE OPPOSÉE, À DROITE : Un gros chat noir hante le vieux manoir de Killackee.

AUTRES CRÉATURES FANTOMATIQUES

D'étranges grenouilles noires ont été vues dans les Highlands écossais, alors que l'esprit bizarre de ce qui prend la forme d'un lièvre apparaît au château de Bolingbroke, dans le Lincolnshire. À Killackee, dans la République d'Irlande, un gros chat noir, de la taille d'un chien, hante le vieux manoir qui abrite désormais le centre culturel de Margaret O'Brien. Depuis le milieu du XVIIIe siècle, un grand oiseau noir peut être aperçu à l'église de Drayton, près d'Uxbridge, en banlieue de Londres. L'oiseau s'installe sur une tombe, dans l'une des voûtes, et en picore le bois.

Encore plus étonnant, au Théâtre Royal de Bath, on a rapporté un papillon fantôme. Il a été vu pour la première fois en 1948, alors qu'une production de Noël comprenait un ballet, *Le Papillon*. Depuis, il est apparu dans d'autres productions.

L'infirmière en chef aurait vu l'apparition terrifiante d'un singe ou d'un primate, ce qui l'aurait poussée à quitter son poste sur-le-champ.

Lady Alice Montagu-Douglas-Scott, devenue plus tard la princesse Alice, duchesse de Gloucester (1901-2004), a déclaré, le jour de sa mort, avoir vu un grand singe, assis sur l'une des chaises dans le corridor. Cette manifestation était possiblement la réminiscence de l'époque où de tels animaux étaient rapportés des pays lointains, à titre de trophées.

CI-DESSOUS : Un grand oiseau noir peut être vu, depuis le milieu du XVIIIe siècle, à l'église de Drayton, près d'Uxbridge, Londres.

À DROITE : La Tour de Londres.

Parmi les douzaines d'apparitions à la Tour de Londres, on compte celle d'un ours. Vers 1815, une sentinelle, ayant reçu la mission de garder les joyaux de la Couronne, a distingué la silhouette sombre d'un ours imposant venir vers lui, du haut d'une volée de marches. Le garde s'est rué sur l'animal, mais sa baïonnette est passée au travers, pour se coincer dans le bois d'une porte. La sentinelle s'est effondrée et est morte le lendemain, « victime d'une ombre ».

À GAUCHE : Le fantôme étêté d'un chien est apparu sur la photo prise, vers 1916, par Arthur Springer, un inspecteur retraité de la Division des enquêtes criminelles de Scotland Yard.

CI-DESSUS : Détail d'une photo de famille, prise en août 1925 à Clarens, en Suisse, par le Major Wilmot Allistone. Lors du développement du film, la tête d'un chaton blanc a été constatée, lovée contre le lapin jouet que le petit tenait dans sa main. Il a été identifié comme étant le petit chat appartenant à la famille, décédé quelques semaines plus tôt, après avoir été molesté par un chien.

CHAPITRE CINQ

CONTES ET LÉGENDES DE FANTÔMES

Les histoires de manifestations ou de phénomènes étranges, vécues par une succession de générations, semblent avoir résisté au temps. Plusieurs ont lu le *Conte de Noël* de Charles Dickens, publié en 1843, qui a inspiré d'autres écrivains à suivre ses traces. Des histoires de fantômes de Noël sont devenues courantes des deux côtés de l'Atlantique. Certaines font écho aux histoires de fantômes que plusieurs considèrent comme véridiques.

LES ANGES DE MONS

L'une des premières batailles importantes des forces britanniques et françaises, durant la Première guerre mondiale, a eu lieu à Mons, en France, en août 1914. Une bataille que les Anglais auraient de la difficulté à remporter. En avril 1915, dans la presse spiritualiste, un récit était publié, expliquant de quelle manière des forces surnaturelles étaient intervenues à la faveur des Anglais, au moment crucial de la bataille.

Cet article a entraîné une pléthore de rumeurs, y compris celle qu'il s'agissait d'un ouvrage de fiction, ce qui a d'ailleurs été démontré plus tard. Arthur Machen, rédacteur en chef au *Evening News*, a plus tard expliqué que ces rumeurs provenaient d'une histoire qu'il avait publiée dans ce même journal, le 19 septembre 1914, intitulée « *The Bowmen* ». Son récit décrivait comment des archers fantômes, rappelés de la bataille d'Azincourt, par saint George, avaient tiré leurs flèches vers les ennemis de l'Angleterre. Un nombre important de personnes semble avoir cru à cette histoire, illustration probable d'un cas d'accomplissement du désir de la masse, destiné à fouetter le moral, durant cette sombre période de l'histoire britannique.

LA DAME EN VERT

À Banffshire, en Écosse, se trouve une vallée qui abrite une Dame en vert. Selon la légende, un fantôme a été vu, pour la première fois, six mois après la mort de l'épouse du seigneur local. Un jour, un laboureur est arrivé face à face avec une femme, toute de vert vêtue, son visage dissimulé par un grand capuchon. Ce qui émanait de cette femme le terrifiait, et sa frayeur a grandi quand elle lui a demandé de monter sur son cheval pour traverser le ruisseau. Il a toutefois accepté et elle est montée derrière lui avec agilité. Il a décrit sa consistance comme étant similaire à celle d'un coussin de laine à moitié rempli.

Quand le duo a atteint l'autre rive, elle est descendue et a retiré son capuchon, révélant qu'elle était l'épouse décédée du seigneur. Elle a promis à l'homme qu'elle le reverrait bientôt.

Au fil des années, la Dame en vert est apparue à plusieurs serviteurs, mais jamais à son mari. Ils ont bientôt été habitués à ses visites; ils pouvaient parfois l'entendre rire ou la voyaient lancer des oreillers aux femmes de chambre. Mais elle ne semblait pas heureuse et son visage était très pâle.

Elle est déjà apparue à la nourrice de la famille pour la prévenir que deux des enfants du seigneur se trouvaient en danger, au bord de la mer. La nourrice en a immédiatement informé leur père qui s'est rendu sur la côte, juste à temps pour sauver les enfants, agrippés à un rocher. La nourrice est retournée à sa chambre et la Dame en vert y était toujours, assise près du feu. Elles se sont mises à parler et la Dame en vert lui a expliqué pourquoi elle était revenue.

Deux ans avant sa mort, un colporteur était apparemment monté par le verger. La dame a envoyé un de ses serviteurs pour lui ordonner de partir, mais les deux

hommes se sont bagarrés et le colporteur a trouvé la mort. Ils ont découvert que le sac de l'homme contenait du velours, de la soie et plusieurs pièces d'or qu'elle et les serviteurs se sont partagées, après avoir enterré l'homme dans une fosse anonyme. La dame a caché sa part d'or derrière une tapisserie dans sa chambre et a utilisé la soie verte pour fabriquer la robe qu'elle portait maintenant.

Quand le mur de la chambre a plus tard été examiné, on a découvert où elle avait caché l'or et des restes humains ont été trouvés à l'endroit où reposait le colporteur.

L'HISTOIRE DE PETER RUGG

L'idée d'être astreint à errer pour l'éternité, illustrée par des légendes comme *Le Juif errant* et *Le Hollandais volant* et par le rôle de Kundry, dans *Parsifal*, présente des parallèles avec l'histoire de Peter Rugg.

En 1826, William Austin a voulu prendre une voiture pour quitter Boston, au Massachusetts, mais il y avait tellement de monde qu'il a dû s'asseoir à côté du cocher. Ils venaient à peine de quitter

Les fantômes ne se limitent pas à l'intérieur des bâtiments, ils apparaissent également au grand jour, comme dans l'histoire de la Dame en vert.

Boston que les chevaux ont commencé à être nerveux, ce qui était causé, selon le cocher, par l'approche imminente d'une tempête.

Le cocher a utilisé les mots « faiseur de tempête » pour décrire ce qu'ils ont vu : le fantôme d'un homme, dans un attelage ouvert, accompagné d'une petite fille. Il les avait vus à plusieurs reprises et chaque fois, des nuages d'orage commençaient à se former.

Il a raconté qu'un jour, l'attelage s'est arrêté et le fantôme lui a demandé comment se rendre à Boston, tout en

Le château de Caerphilly, dans le Pays de Galles, a sa propre Dame en vert – la belle princesse Alice d'Angoulême, épouse de Gilbert de Clare, arrivé avec les Normands en 1066 et qui a fait construire le château.

Privée de l'amour de son mari, Alice est tombée amoureuse de Gruffyd le Juste, prince de Brithdir. La liaison devait être tenue secrète, mais Gruffyd l'a révélée à un moine, à l'emploi de Gilbert, qui a informé ce dernier de l'infidélité de sa femme. Gilbert a renvoyé Alice en France, et Gruffyd, en apprenant la nouvelle, a pendu le moine à un arbre, dans ce qu'il est maintenant convenu d'appeler Ystrad Mynach *(la vallée du moine).*

Les hommes de Gilbert ont finalement attrapé Gruffyd et l'ont pendu à son tour. Alice, dans son désespoir, est morte de chagrin. Son fantôme, vêtu de vert, est censé hanter les remparts du château.

pointant dans la mauvaise direction. Depuis, il a appris que le fantôme demande des directives à d'autres cochers, directives qu'il a toujours ignorées.

Comme le cocher l'avait prédit, l'attelage s'est arrêté. Austin allait rencontrer le faiseur d'orages à nouveau trois ans plus tard, alors qu'il séjournait à l'hôtel, à Hartford, Connecticut. Un soir, alors qu'il se trouvait sur la véranda, il a entendu un homme dire : « Voici Peter Rugg et sa fille. Il a l'air trempé, fatigué et plus éloigné de Boston que jamais auparavant. »

Quelques instants plus tard, le même attelage et son chauffeur sont apparus, des nuages d'orage suivant derrière. Cette fois, il se dirigeait tout droit vers l'hôtel. L'homme a raconté à Austin qu'il avait rencontré Rugg vingt ans plus tôt, alors qu'il lui avait demandé le chemin pour se rendre à Boston. Il lui avait fait remarquer qu'il se dirigeait dans la mauvaise direction et Rugg lui avait répondu : « Hélas! Il faut toujours faire demi-tour! Boston tourne avec le vent et joue avec la boussole. Un homme me dit qu'elle se trouve à l'est, l'autre à l'ouest et même les poteaux indicateurs pointent dans la mauvaise direction! »
Austin n'a pu s'empêcher de demander à l'homme s'il était Peter Rugg, ce qu'il a confirmé, ajoutant qu'il habitait sur Middle Street, à Boston. Austin a remarqué que l'homme et l'enfant étaient trempés, même s'il ne pleuvait pas, et lui a dit qu'il était

au Connecticut et que Boston se trouvait cent milles plus loin. Rugg n'a pas semblé le croire et a affirmé qu'il se trouvait à quarante milles de Boston. Après quoi, il est reparti.

Austin, troublé par cette rencontre, a donc poursuivi des recherches plus avant. Il a retrouvé une femme âgée, Mme Croft, qui habitait sur Middle Street. Elle lui a raconté que Peter Rugg lui avait déjà rendu visite et qu'il lui avait demandé si une Mme Rugg vivait dans la maison. Elle lui a répondu qu'effectivement, une Mme Rugg avait déjà habité l'endroit, mais qu'elle était décédée plusieurs années plus tôt. Mme Croft a suggéré à Austin de consulter James Felt, maintenant âgé de plus de 80 ans, mais qui connaissait l'histoire de Peter Rugg, qui lui avait été racontée par son grand-père.

Selon toute vraisemblance, Peter Rugg avait vécu sur Middle Street dans les années 1730. Le grand-père de Felt le décrivait comme un homme grincheux, qui ne prenait aucun conseil en considération. Un jour, il est parti faire un tour à Concord avec sa fille. Il s'est arrêté chez un ami, qui l'a informé qu'une tempête se préparait, ce à quoi Rugg aurait répondu : « Laissons la tempête se déchaîner. Je me rendrai chez moi ce soir, malgré la tempête, ou je ne reverrai jamais la maison! » C'est la dernière fois que Rugg et sa fille ont été vus; ils ont disparu sans laisser de trace, apparemment condamnés à voyager pour l'éternité.

LA LLORNA

La légende de *La Llorna* date vraisemblablement de l'époque de l'invasion des conquistadors en Amérique. *La Llorna* est l'esprit d'une grande femme mince, en pleurs. Elle a de longs cheveux et porte une robe blanche. On dit qu'elle cherche les enfants qui traînent, la nuit, pour qu'ils la rejoignent dans sa tombe.

La Llorna a déjà été une jeune fille agréable, appelée Maria, qui avait épousé un homme riche, avec qui elle avait eu deux fils. Son mari était apparemment un coureur de jupons alcoolique qui, depuis longtemps, avait cessé de s'occuper d'elle. Un jour, il a même menacé de la quitter et d'épouser quelqu'un de sa classe.

Maria était laissée à elle-même : un soir, alors qu'elle faisait une promenade avec ses enfants, ils ont vu leur père dans un carriole, accompagné d'une femme élégante. Le mari de Maria s'est arrêté et a parlé aux enfants, mais a complètement ignoré sa femme. Maria était tellement furieuse et humiliée qu'elle a pris les enfants et les a jetés dans la rivière. Immédiatement prise de remords, elle a bien tenté de les sauver, mais en vain.

À partir de ce jour, Maria, refusa de manger. Perdant de plus en plus de poids, elle finit par mourir. Son fantôme peut encore être vu de nos jours, condamné à pleurer éternellement, près de la rivière Santa Fe, au crépuscule. Elle a également été aperçue flottant parmi les arbres sur les berges, pleurant ses enfants, alors que certains l'ont vue plus loin, sur les rives de la rivière Yellowstone, dans le Montana.

La légende devient parfois celle d'une autostoppeuse fantomatique.

En plusieurs endroits sur la route, près de la rivière Santa Fe, des conducteurs solitaires ont affirmé avoir vu une femme en pleurs, debout, près de la route. Chaque fois, au conducteur qui s'arrête et lui offre de l'accompagner, elle raconte son histoire avant de disparaître.

Le fait que *La Llorna* ait été reconnue dans autant de lieux si différents, peut peut-être fournir une explication au phénomène de l'autostoppeuse fantôme qu'on a rapporté avoir vue sur tout le territoire américain. À différentes occasions, une jeune femme, portant une longue robe blanche, a été aperçue, souvent pendant une nuit pluvieuse, sur une route déserte. La jeune fille semble bien réelle, elle est trempée et grelotte.

Le conducteur se dirige vers l'adresse qu'elle lui a donnée mais, pendant le trajet, elle disparaît. Perplexe, le conducteur cogne à la porte de la maison, où les occupants expliquent qu'il s'agit bien de leur fille, décédée dix ans plus tôt dans un

PAGES 180 ET 181 : La ville de Boston a son lot d'histoires de fantômes.

PAGE OPPOSÉE : La rivière Yellowstone, où La Llorna *est prétendument apparue.*

accident de voiture. Certains ont même retrouvé sa tombe, lui ayant prêté leur veston pour la garder au chaud. Il est parfois retrouvé, plié avec soin, à côté de la tombe.

Il existe trois versions de cette histoire. L'une a en fait été publiée dans l'édition d'un journal russe, en décembre 1890, dans lequel un prêtre racontait avoir été envoyé par une femme à une certaine adresse pour administrer les derniers sacrements à un mourant. Il y trouve, à la place, un jeune homme, en parfaite santé. Le prêtre reconnaît alors un portrait ou une photographie de la femme qui l'a envoyé et demande qui elle est. Le jeune homme lui répond qu'il s'agit de sa mère, morte depuis plusieurs années. L'homme prie avec le prêtre, scellant sa destinée. Il meurt le même soir.

Des incidents similaires se sont produits en différentes circonstances aux États Unis, mais ils impliquent généralement un médecin, au lieu d'un prêtre. La victime est toujours une personne en bonne santé, mais dès que sa mère demande au médecin de se rendre à l'adresse qu'elle lui remet, elle succombe rapidement.

Il semble que ce type de légende existe dans le monde entier. En Arménie, on raconte qu'un cavalier passe devant un cimetière, où il voit une jeune femme pleurer. Elle lui dit qu'elle est trop fatiguée pour voyager, mais qu'elle doit se trouver plus loin au matin. La chance étant de son côté, le cavalier se rend toujours là où elle doit aller. Il la fait monter sur son cheval et la jeune fille ne parle pas. Après un certain temps, elle semble plus lourde, comme si elle s'était endormie. Soudain, le cheval s'arrête et la jeune fille tombe. Le cavalier s'aperçoit qu'elle est morte et qu'il transportait un cadavre. Les Arméniens croient que cette légende signifie qu'une jeune fille est décédée loin de chez elle et que, à la date anniversaire de sa mort, elle tente de retourner dans son village natal.

Il existe une version allemande de l'histoire de *La Llorna*, qui implique le célèbre rocher Loreleï, situé sur le Rhin. Au crépuscule, le rocher se transforme en une belle sirène, qui chante un air hanté, trompant quiconque navigue sur la rivière, le menant vers une mort certaine, alors que l'embarcation se fracasse sur le rocher. Plusieurs navires et leurs équipages s'y sont perdus au fil des ans.

Peut-être cette histoire détient-elle un peu de vrai. La légende raconte que Loreleï vivait il y a plusieurs années et qu'elle était amoureuse d'un chevalier, qui a dû la quitter pour aller à la guerre. De nombreux autres l'ont courtisée, mais elle ne pouvait penser qu'à cet homme. Plusieurs de ceux qu'elle a rejetés se sont suicidés et son chevalier n'est jamais revenu. L'archevêque de Cologne a donc décidé de l'envoyer au couvent. En s'y rendant, elle a demandé de monter sur le rocher et regarder, une dernière fois, le château du chevalier.

Juste au moment où elle contemplait le château, un petit bateau s'est approché avec, à bord, l'amour de sa vie. Elle a crié son nom mais, transporté par sa beauté, le chevalier a laissé le bateau frapper le rocher et s'est noyé. Remplie de regrets, Loreleï s'est lancée du haut du rocher pour le rejoindre dans les eaux du Rhin.

Aussi bizarres que les autostoppeuses fantomatiques sont les histoires des enfants radiants, qui seraient les fantômes d'enfants assassinés par leurs parents. De telles légendes sont racontées dans toute l'Europe, mais l'une des mieux documentées concerne le vicomte Castlereagh, homme d'État anglais.

Alors que, jeune homme, il chassait en Irlande, Castlereagh a dû se réfugier dans une maison, pendant un violent orage. La maison était remplie de personnes qui voulaient se protéger de la tempête, mais l'hôte l'assura qu'il avait suffisamment de place pour lui. On lui a finalement donné un matelas sur le sol, qu'on a installé à proximité d'un grand feu. Il s'est endormi et, quelques heures plus tard, une vive lumière l'a réveillé. À ce moment-là, le feu s'était éteint et la lumière provenait d'un très bel enfant. Castlereagh, pris de frayeur a expliqué à son hôte, au petit matin, pourquoi il préférait partir. L'hôte et les serviteurs ont juré ne rien savoir de

PAGE OPPOSÉE : Le fameux rocher de Loreleï, sur le Rhin, en Allemagne.

cette histoire, ce qui n'était pas le cas du majordome.

Ce dernier a raconté à Castlereagh qu'il a avait pris soin d'allumer un feu pour prévenir l'apparition, qui était celle d'un jeune garçon, âgé de neuf ou dix ans, qui avait été assassiné, plusieurs années plus tôt par sa propre mère, dans la chambre où on avait fait dormir le vicomte.

L'hôte a été bouleversé par cette histoire, surtout quand il a su que chaque fois, il se manifestait à une personne qui devait connaître un grand succès, suivi d'une mort violente.

Castlereagh était le deuxième fils du marquis de Londonberry, mais peu après l'apparition, son frère aîné est décédé, laissant Castlereagh seul héritier. En peu de temps, il est devenu l'un des plus puissants hommes d'Europe, même s'il était détesté et profondément perturbé.

Le 12 août 1822, ayant été confiné à sa maison de campagne en raison de son comportement erratique, Castlereagh s'est tranché la gorge avec un canif.

LE ROI ARTHUR

Durant l'âge sombre qui a suivi le départ des Romains de la Grande-Bretagne, la légende veut qu'un homme, connu comme l'unique et futur roi, aurait résisté aux hordes barbares pour réunir les Anglais. Il s'appelait «Arthur» et a été mortellement blessé lors d'une ultime bataille, forcé au repos, parmi ses chevaliers, jusqu'à ce que la Grande-Bretagne ait encore besoin de lui.

Plusieurs suggestions ont été faites quant à l'emplacement exact de sa tombe, y compris l'abbaye de Glastonbury, dans le Somerset, et le château de Tintagel, à Cornwall.

Plusieurs ont déclaré avoir vu les silhouettes fantomatiques d'Arthur et de ses chevaliers volant dans les cieux et se préparant à réapparaître de nouveau.

Mais il ne s'agit pas de la seule légende concernant un tel monarque. L'empereur du Saint Empire romain germanique, Frédéric II, est supposément mort soudainement en 1250, mais plusieurs années plus tard est apparu un homme qui a déclaré être lui. Deux imposteurs ont finalement été exécutés, simplement pour prouver que Frédéric était bel et bien mort.

CI-DESSOUS ET PAGE OPPOSÉE : Glastonbury, l'un des endroits supposés du dernier repos du roi Arthur.

L'abbaye de Glastonbury, dans le Somerset, en Angleterre. Lieu de culte pendant plus de mille ans, elle était un important centre d'apprentissage, un peu comme Oxford, ou Cambridge, le sont aujourd'hui. En raison de ses liens avec la légende arthurienne et avec Joseph d'Arimathie, réputé avoir enseveli le corps de Jésus dans son propre sépulcre après la Crucifixion, Glastonbury a une histoire longue et tragique. Une légende raconte qu'après la Crucifixion, Joseph s'est rendu à Glastonbury où il a installé son personnel sur le terrain, lequel s'est transformé en feuilles et en fleurs — on désigne aujourd'hui cet endroit par « Glastonbury Thorn ».

Une autre légende associée à Glastonbury circule : celle d'un sombre chevalier aux yeux rouges, dont on dit qu'il aurait détruit tous les documents écrits faisant référence à la tombe du roi Arthur et de son épouse, Guenièvre, mais dont la présence fantomatique a depuis longtemps disparu. Aujourd'hui, et depuis de nombreuses années, des spectres de moines ont été vus et les visiteurs ont également entendu d'étranges psalmodies; plusieurs personnes ont rapporté avoir vu une forme blanche hanter le terrain de l'abbaye. D'autres fantômes comprennent un moine fou, qui erre dans le verger, de même que l'esprit sombre d'un moine qui a agi comme espion pour le compte d'Henry III; le fantôme sonde le terrain, observe et attend.

LA MÈRE AU BONNET ROUGE

Samuel Palmer, dans son ouvrage intitulé «*History of St.Pancras*», rappelle la vie de la Mère au bonnet rouge, du quartier de Camdem, Londres.

Jinney Bingham était la fille d'un maçon de Kentish Town, et d'une colporteuse écossaise. Elle accompagnait ses parents lors de leurs voyages dans le pays, mais, à son seizième anniversaire, elle est tombée amoureuse d'un homme appelé Gypsy George Coulter. Au dire de tous, il était un voyou et, ensemble, Coulter et Jinney ont amorcé leur carrière de voleurs de moutons.

Gypsy George, après un séjour à la prison de Newgate, a finalement été trouvé coupable par la Cour criminelle centrale, Old Bailey, et a été pendu en bonne et due forme à Tyburn. Peu après, Jinney a fait la rencontre d'un certain Darby, qui a disparu mystérieusement, alors qu'en même temps, les parents de Jinney ont été arrêtés pour sorcellerie. Il semble qu'ils avaient

PAGE OPPOSÉE : Le château de Tintagel, Cornwall — une forteresse qui a déjà servi au roi Arthur.

CI-DESSOUS : Le fameux marché de Camden. Le quartier de Camden était le lieu de résidence de Jinney Bingham et le site de son cottage, sur Camden High Street, est devenu le Mother Red Cap Inn, *rebaptisé* The World's End.

comploté le meurtre d'une petite fille et ont tous deux été pendus pour leur crime. Ses parents décédés et Darby disparu, Jinney est allée vivre avec un homme appelé Pitcher, mais lui aussi était destiné à la mort et ses restes ont été trouvés en position accroupie, dans un four. Jinney a subi un procès, mais en raison de la crédibilité des témoins, ont a cru que Pitcher s'était lui-même caché dans le four pour fuir les propos malveillants de Jinney.

Pendant un certain temps, la vie de Jinney a continué d'être difficile jusqu'à ce qu'un fugitif sans-abri la persuade de l'héberger.

Il a lui aussi trouvé la mort peu après et, bien qu'on soupçonnait qu'il avait été empoisonné, aucune preuve ne pouvait incriminer Jinney. Selon la rumeur qui courait à l'époque, il semble que le mort n'était pas sans le sou.

Jinney vivait maintenant recluse, avec

CI-DESSOUS : La rue Camden High, telle qu'elle apparaît aujourd'hui.

PAGE OPPOSÉE : La cour Old Bailey, où Gypsy George a été condamné à être pendu à Tyburn.

un énorme chat noir et ne recevait que les visites occasionnelles de Moll Cut-Purse, la célèbre voleuse de grand chemin. Les habitants de la localité croyaient que Jinney était une sorcière et la consultaient comme diseuse de bonne aventure et guérisseuse; mais un jour, après qu'un traitement eût mal tourné, elle a été attaquée par une bande d'habitants du quartier. La description de Jinney correspond à celle d'une femme assez grande, avec un gros nez, des sourcils épais et des yeux enfoncés. Un front ridé, une grande bouche et un visage sombre complétaient la description. Elle avait désormais pris l'habitude de porter un bonnet rouge et un manteau rayé tellement rapiécé que, de loin, les pièces ressemblaient à des chauves souris.

Le jour de sa mort, de nombreux témoins ont déclaré avoir vu le diable en personne se rendre chez elle pour réclamer son âme.

À vrai dire, son corps a été retrouvé le matin même, près du foyer. Devant elle se trouvait une théière contenant des herbes qui avaient servi à concocter une potion. Quand quelqu'un a donné un peu de ce liquide à son chat, tous ses poils sont tombés en deux heures et il mort peu de temps après. Quant à la Mère au bonnet rouge, son corps était tellement rigide que le directeur des pompes funèbres a dû lui

casser les os pour qu'elle puisse entrer dans le cercueil. On croit que le *Mother Red Cap Inn*, bâti sur le site de sa maison, est toujours hanté par l'esprit tourmenté de Jinney.

L'ORIENT EXPRESS

En 1923, un homme qui venait de voler des diamants à son employeur, un courtier d'Amsterdam, s'est suicidé à bord de l'Orient Express. Il était monté à bord, croyant avoir semé la police, mais a appris que les autorités l'attendaient à la prochaine station. Peu de temps après que le train ait quitté Wurzburg, l'homme s'est tiré une balle dans la tête dans l'un des luxueux compartiments.

Depuis ce jour, quiconque dort dans ce compartiment entend clairement le tir d'un fusil et ressent l'étrange sensation de ne pas être seul, chaque fois que le train passe à Wurzburg.

CI-CONTRE : Vues de l'intérieur et de l'extérieur de l'Orient Express.

PAGE OPPOSÉE : L'île de Wight s'étend sur la côte du sud de l'Angleterre.

LA VILLE FANTÔME

En 1969, le Dr White et son épouse roulaient vers le village de Niton, sur l'île de Wight, dans le sud de l'Angleterre. Ils ont commencé à voir des lumières qui se déplaçaient dans les champs, devant eux, et ont cru qu'il s'agissait de quelques personnes se déplaçant et s'éclairant à l'aide de torches. Alors qu'ils montaient une colline, ils ont pu voir les champs plus clairement et, au lieu de quelques lumières, ce qu'ils ont vu était une grande ville située plus bas. Alors qu'ils approchaient, ce qui semblait être un chemin de ferme s'est mystérieusement transformé en une voie urbaine, flanquée de bâtiments de chaque côté.

Ils ont finalement atteint une intersection au sud de Newport, où le *Hare and Hounds Inn* se dresse. L'auberge était baignée de lumière et des silhouettes tenant des torches se sont mises à courir dans la rue, devant eux. Mais, aussi rapidement qu'elles étaient apparues, les silhouettes et les torches se sont évanouies.

Le couple a décidé de poursuivre son chemin vers la destination prévue. Le lendemain, aux petites heures du matin, ils sont revenus par le même chemin, mais aucun incident fâcheux ne s'est produit.

Plusieurs hypothèses ont été avancées pour expliquer ce qui semble être une manifestation incroyablement élaborée. Le couple croit que l'homme qu'il a vu à l'extérieur de l'auberge ressemblait à un Viking, alors que d'autres pensent plutôt qu'il s'agit de la réminiscence d'un ancien camp romain.

D'autres ont toutefois interprété l'événement comme étant une sinistre vision de l'avenir, quand les villes envahiraient les terres où seuls des champs et des maisons isolées se trouvaient antérieurement. Les plus cyniques ont réduit le phénomène à un simple mirage, par le fait que la ville de Portsmouth se trouve sur le continent, à proximité de l'eau, et que les visions que le couple a eues n'étaient que les réflexions des lumières de la ville dans les nuages. Mais cette hypothèse ne peut expliquer les silhouettes de personnes tenant des torches qui se sont mises à courir devant la voiture, cette nuit-là.

Le château de Carisbrooke, sur l'île de Wight, est l'un des plus beaux exemples de château normand. L'un de ses plus célèbres occupants est le roi Charles Ier, qui y a été emprisonné pendant dix mois, avant d'être exécuté à la fin de la guerre civile.

Le château a été construit sur le site d'anciennes défenses romaines et saxonnes et, en raison de sa longue histoire truffée d'événements, a plusieurs histoires de fantômes à raconter.

Élizabeth Ruffin, la jeune fille du maire de Newport, s'est jetée dans le puits profond de Carisbrooke, en 1632, et s'y est tragiquement noyée. Depuis, plusieurs ont rapporté avoir vu son visage dans l'eau. Le château abrite également une Dame grise, qui porte une longue cape et qui est accompagnée de quatre chiens, alors qu'un homme vêtu d'un pourpoint brun est parfois aperçu près du fossé. D'autres témoins ont aperçu une femme, portant une robe de l'époque victorienne, qui est suivie par l'ombre de deux chiens, alors qu'une apparition dans un long manteau a également pu être observée en plein jour, accompagnée de quatre petits chiens.

CHAPITRE SIX
MESSAGES DE FANTÔMES

La Première guerre mondiale, dont on se souviendra, en raison du sacrifice absurde de milliers d'homme sur le front occidental, a généré d'innombrables histoires de fantômes, dont plusieurs se trouvent dans les archives de la Société de recherche psychique (SPR).

PRÉMONITIONS

De nombreuses histoires se présentent sous la forme d'avertissements, formulés par des fantômes. Le 6 novembre 1917, Mme Russell, dont le mari était au front, en France, et son fis Richard, âgé de trois ans et demi, se trouvaient à la maison, en Angleterre. Elle ne pouvait pas savoir que son mari allait mourir le même jour et qu'elle n'en serait officiellement informée

À GAUCHE : Le professeur Henry Sidgwick, philosophe anglais, était l'un des éminents penseurs qui ont fondé la Société de recherche psychique, en 1882. Son siège se trouve à Londres.

CI-DESSUS ET PAGE OPPOSÉE : Les horreurs de la Première guerre mondiale ont engendré de nombreuses histoires de fantômes.

que dix jours plus tard. Soudainement, le petit garçon s'est redressé et a déclaré : « Papa est mort. » Mme Russell a tenté de calmer le petit, mais il insistait, répétant « Dick sait qu'il est mort. »

Jusqu'à ce moment-là, Mme Russell n'avait aucune raison particulière de s'inquiéter de la sécurité de son mari : il avait survécu, depuis le début de la guerre, sans subir une seule égratignure. Mais exactement au moment où le petit a prononcé ces mots, son père reposait, mort, sur le champ de bataille.

Mme Spearman était en Inde avec son nouveau-né, le matin du 19 mars 1917. Demi-sœur du Capitaine Eldred Bowyer-Bower, un jeune pilote de 22 ans, elle serait l'une des trois personnes à recevoir la prémonition qu'Eldred était mort au combat. Voici ce qu'elle raconte : « J'ai eu le fort sentiment qu'il fallait que je me retourne, ce que j'ai fait. Eldred était là, il avait l'air tellement heureux et affichait un petit air espiègle. J'étais très heureuse de le voir et je lui ai demandé de m'attendre, qu'il fallait que je dépose l'enfant dans un endroit sécuritaire et que nous pourrions parler ensuite. ‘ Quelle surprise de te voir ici ', lui ai-je lancé et, en me retournant, les bras ouverts pour le serrer et l'embrasser, j'ai constaté qu'Eldred n'y était plus. Je l'ai appelé, je l'ai cherché. Je ne l'ai plus jamais revu. »

Deux autres remarquables apparitions d'Eldred se sont produites le même jour. La nièce d'Eldred, qui était alors âgée d'environ trois ans, est soudainement entrée dans la chambre de sa mère, Mme Cecily Chater, à 9 h 15, le matin du 19 mars. La petite fille lui a dit : « Oncle Alley Boy est en bas. » C'était le surnom qu'elle avait donné à son oncle. Sa mère lui a répondu qu'il était en France, mais la petite insistait, répétant qu'elle venait juste de le voir. Mme Chater a oublié l'incident, mais a été très étonnée d'apprendre qu'il s'était produit à l'heure exacte de la mort d'Eldred.

La mère d'Eldred était amie avec une dame Watson, qui était âgée et qui, en raison d'une infirmité, n'avait pas écrit à la mère d'Eldred depuis plus d'un an et demi. Inopinément, une lettre de Mme Watson est arrivée le 19 mars, dans laquelle elle disait : « Quelque chose me dit que vous ressentez beaucoup d'inquiétude à propos d'Eldred. M'en ferez-vous part ? »

Quand la mère d'Eldred a reçu la lettre, elle n'avait aucune idée que son fils était décédé. Lorsqu'elle a parlé à Mme Watson, un peu plus tard, cette dernière lui a dit qu'elle avait ressenti un grand sentiment de frayeur ce matin-là et que cela l'avait poussée à lui écrire.

Une autre histoire incroyable de la Première guerre mondiale est celle du Lieutenant David McConnell, qui n'était âgé de que 18 ans, lorsqu'il s'est envolé pour un exercice, le 7 décembre 1918, après que les hostilités eurent cessé. McConnell s'est retrouvé dans un épais brouillard et s'est écrasé à l'atterrissage à Tadcaster, en Angleterre. Sa montre s'est arrêtée à précisément 15 h 25. Exactement au même moment, le Lieutenant Larkin, son compagnon de chambre, a affirmé avoir vu McConnell à quelques pieds de lui. Larkin a attesté plus tard que cela s'était produit entre 15 h 15 et 15 h 30, plusieurs heures avant d'apprendre que McConnell était décédé à 15 h 25.

Lady Charles Somerset a raconté, pour la première fois en 1827, l'étrange histoire de Lady Beresford, qui portait habituellement un ruban noir autour de son poignet. Cette histoire circulait dans la famille depuis le XVIIIe siècle. Lady Beresford et son frère, Lord Tyrone, avaient fait un pacte alors qu'ils étaient enfants qui voulait que le premier des deux qui mourait, tenterait d'apparaître à l'autre.

Plusieurs années plus tard à 16 h, un jour, Lady Beresford a ressenti la prémonition que son frère venait de mourir. Peu après, il lui est apparu, lui disant qu'elle allait mourir dans sa 47e année et qu'elle donnerait à son mari deux filles et un fils. Pour prouver qu'il était bel et bien mort, il a touché le poignet de sa sœur, qu'elle a, à partir de ce jour, toujours camouflé à l'aide d'un ruban noir.

Les années ont passé, les enfants sont nés, et Lady Beresford était ravie de savoir qu'elle aurait 48 ans le lendemain. Mais un homme d'église irlandais lui a rendu visite pour l'informer qu'une erreur s'était produite sur l'année de sa naissance et qu'elle allait en fait célébrer son 47e anniversaire. Avant minuit, Lady Beresford était morte.

Certains croient qu'elle avait brisé le vœu de son frère de ne jamais montrer son poignet, puisqu'elle en avait parlé à son fils aîné, alors âgé de douze ans. Lorsque le ruban a été retiré, on a constaté que la peau qui était cachée était toute plissée et que la chair et les ligaments s'étaient atrophiés.

LA DAME BLANCHE

La dynastie des Hohenzollern a dirigé la Prusse pendant des générations et était tourmentée par l'étrange apparition d'une Dame blanche. Ses visites ne pouvaient signifier qu'une seule chose : un décès ou un désastre imminent allait survenir dans la famille.

Le plus illustre membre de la famille Hohenzollern est sans doute Frédéric le Grand, réputé être apparu à son neveu, Frédéric-Guillaume, en 1806. La Prusse était alors en guerre avec la France, au bord de la défaite contre l'habile et brillant Napoléon Bonaparte. Frédéric le Grand a conseillé à son neveu de cesser ses attaques contre Paris, en lui disant : « Tu peux t'attendre à rencontrer quelqu'un qui ne te souhaitera pas la bienvenue. » Frédéric-Guillaume a pressé le fantôme de lui expliquer ce que cela signifiait : « Je parle de la Dame blanche du vieux palais. Je suis certain que tu sais ce qui a rrive à ceux qui l'ont vue. » Le spectre a ensuite disparu.

assassiné, événement qui allait déclencher la Première guerre mondiale. La Dame blanche avait dit vrai : l'Allemagne a perdu la guerre et la monarchie germanique a été balayée pour toujours.

SUICIDE OU MEURTRE ?

James Sutton était lieutenant à l'Académie navale des États-Unis, à Annapolis, dans le Maryland. Le 12 octobre 1907, Sutton était allé à une danse et, après avoir trop bu, avait provoqué une dispute avec quelques-uns de ses camarades, de laquelle il était sorti amoché. On a rapporté qu'il s'est rendu à sa chambre, où il a pris deux pistolets. L'ordre de l'arrêter a été donné,

Frédéric-Guillaume a fait fi du conseil reçu et la Dame blanche est effectivement apparue, quelques jours avant que le prince Louis de Prusse ne meure au combat contre l'Armée napoléonienne.

Il semble que la Dame blanche soit apparue pour la première fois autour de 1619. Le lendemain de son apparition, le dirigeant d'alors, Jean III Sigismond de Brandebourg, est décédé. Sa dernière visite a été rapportée en 1914, alors qu'on craignait le décès de Guillaume II, empereur allemand et roi de Prusse. Il n'est pas mort, mais le même mois, l'archiduc François-Ferdinand a été

À L'EXTRÊME GAUCHE : Le château Hohenzollern, maison ancestrale de la famille du même nom, compte Frédéric le Grand et l'empereur allemand Guillaume II, dernier roi de Prusse.

CI-DESSUS ET PAGE 202 : L'empereur Guillaume II a probablement été le dernier à avoir vu la Dame blanche avant qu'elle ne disparaisse de façon définitive.

À GAUCHE : Frédéric le Grand.

CI-DESSOUS : L'Académie navale des États-Unis, à Annapolis, où le Lieutenant James Sutton a trouvé la mort.

PAGE OPPOSÉE : Le cimetière national d'Arlington, en Virginie, où a été enterré le corps du Lieutenant Sutton, qui a plus tard été exhumé.

mais avant que cela ne puisse se faire, Sutton s'est tiré une balle dans la tête.

Précisément au même moment à Portland, Oregon, la mère de Sutton a vu son fils et elle raconte ce qui suit : « À cet instant, Jimmy se tenait devant moi et m'a dit ' Maman, je ne me suis jamais suicidé. J'ai les mains aussi libres de sang que lorsque j'avais cinq ans. »

Le fantôme de Sutton a raconté à sa mère ce qui s'était passé, décrivant ses blessures (n'oubliez pas que sa mère n'avait pas encore été informée de sa mort). Intriguée par ce que Mme Sutton avait affirmé avoir vu, la famille a demandé au cimetière national d'Arlington d'exhumer le corps de James Sutton. Après examen, les blessures correspondant

GLORIA
DOROTH
SEP 21
JAN 13
WIFE
CW
DONALD W
USA
BERTHA
VIRGINIA
WIFE OF
USN
HATTIE S.
CHARLES
DAVID
HYDE
MARYLAND
US NAVY
WORLD WAR I

à celles qui avaient été décrites par le fantôme, lesquelles n'avaient pas été inscrites dans le premier rapport d'autopsie, ont été constatées.

Cela a soulevé un certain nombre de questions et, bien que le dossier n'ait jamais été rouvert, un véritable doute subsiste quant à savoir si la mort de James est un suicide ou un meurtre.

LES FANTÔMES DE L'ÎLE NORFOLK

À environ 1 600 km au nord-est de Sydney, Australie, dans le Pacifique Sud, se trouve l'ancienne colonie pénitentiaire britannique de l'île Norfolk. En 1856, elle a été cédée aux anciens habitants des îles Pitcairn, descendants de Fletcher Christian et des mutinés du Bounty et des femmes tahitiennes. Les îles Pitcairn ne pouvaient permettre la subsistance des deux cents habitants et la reine Victoria leur a offert l'île Norfolk, où les résidents avaient souvent vu les fantômes des mutins.

Barney Duffy, un géant irlandais, a été emprisonné sur l'île Norfolk, mais il s'est évadé et a été poursuivi par les Tuniques rouges avant d'être finalement capturé. Il s'était caché pendant sept ans dans la cavité d'un pin, vivant comme un animal, vêtu de haillons troués. Au moment de sa capture, il a maudit les soldats, prédisant qu'ils connaîtraient une mort violente dans la semaine suivant sa mort.

Duffy a été pendu pour tous ses crimes. Deux jours plus tard, les soldats sont allés pêcher à proximité du pin de Duffy et leurs corps brutalisés ont été retrouvés flottant sur l'eau, peu de temps après.

PAGE OPPOSÉE : Les ruines de la nouvelle prison commune de l'île Norfolk, dont la construction a commencé en 1836, mais n'a jamais été achevée.

À DROITE : L'île Norfolk a une histoire terrifiante, qui se reflète dans les noms d'endroits tels que le Coin du Fantôme*, la* Baie du Massacre*, la* Baie du Cimetière *et la* Grille de la Potence*. Le fameux* Pont sanglant *(à droite) est l'endroit où un superviseur tyrannique a été tué et mis en tombe pendant la construction du pont.*

CHAPITRE SEPT

PHÉNOMÈNES FANTOMATIQUES

Plusieurs personnes croient que ces phénomènes sont des visions réelles d'individus qui se sont échappés du temps normal, de l'endroit ou de leur existence. En d'autres termes, ils peuvent être expliqués par de simples glissements du temps. On croit qu'une fenêtre temporelle s'ouvre fréquemment, pendant de brefs instants, pour permettre à quelqu'un de voir ou de vivre quelque chose qui s'est produit dans une autre dimension.

Ceci pourrait peut-être expliquer le fait que des Vikings ont été vus sur l'île de Wight, en Angleterre, en 1969, ou que des municipalités et des villes fantômes apparaissent parfois et que des soldats ont été vus sur des champs de bataille éternels, après qu'ils eurent volé leur vie.

Cette ligne de pensée pourrait expliquer le phénomène associé au Triangle des Bermudes, où de nombreux événements inexplicables se sont produits.

LA DISPARITION DU 5e BATAILLON

Un événement étrange s'est produit pendant la bataille de Gallipoli, en Turquie, lorsque vingt-deux soldats néo-zélandais ont vu ce qui semblait être un groupe de soldats anglais, marchant dans un nuage.

Pendant la Première guerre mondiale, le 5e bataillon du Régiment de Norfolk, de Sandringham, Angleterre, s'est embarqué pour Gallipoli, le 29 juillet 1915, se préparant à une attaque contre les Turcs, alliés des Allemands. Ce qui est arrivé à ce bataillon, durant l'après-midi du 12 août 1915, à l'occasion de la désastreuse campagne des Dardanelles, pendant leur toute première bataille, personne ne le sait. Pendant un moment, les hommes menaient une vigoureuse attaque contre l'ennemi turc, la minute suivante, ils avaient disparu. Leurs corps n'ont jamais été retrouvés. De ce bataillon, comptant 257 hommes, aucun survivant ne s'est rapporté ou est devenu prisonnier de guerre. Ils se sont tout simplement évanouis dans la nature.

Quelques années plus tard, en 1919, lorsque le service des sépultures s'est rendu sur les lieux pour récupérer les corps des fosses hâtivement creusées, les restes de seulement 122 des disparus ont été retrouvés. Ce qui est arrivé au reste du régiment demeure toujours un mystère.

LA BATAILLE DE GETTYSBURG

En 1863, pendant les trois jours qu'a duré la bataille de Gettysburg, en pleine guerre de Sécession, huit mille hommes ont perdu la vie. Un incident bizarre, qui ne peut être considéré comme une pure coïncidence, s'est produit en septembre 2003, sur le champ de bataille de Gettysburg, en Pennsylvanie. Un homme qui visitait le site a entendu des bruits étranges. Il a demandé s'il y avait quelqu'un, et on a répondu « Grossy ». L'homme lui a demandé d'où il venait, ce à quoi la voix fantomatique lui a dit : « Virginie ». Lorsque le témoin a consulté les registres de la guerre de Sécession, seul un nom correspondait : il semble qu'un certain Michael B. Grossy était un soldat de l'Union et qu'il appartenait à un régiment du Maryland.

Grossy avait reçu une balle dans la tête le 2 juillet 1863 et était mort peu de temps

PAGE OPPOSÉE : La bataille de Gettysburg, menée du 1er au 3 juillet 1863. Des hommes tombés au combat à Gettysburg (photo du haut) et la batterie du champ de bataille (photo du bas).

après, près de Wheatfield, où plus de mille hommes ont perdu la vie.

UB65

Le sous-marin allemand *UB65* devait être lancé en 1916 mais, depuis le début, tout allait de travers. Une large poutre d'acier s'était détachée de ses chaînes, écrasant un ouvrier, alors qu'un autre, gravement blessé, devait mourir deux heures plus tard. Peu de temps avant le lancement du sous-marin, les moteurs ont été testés et trois hommes sont morts dans la chambre des machines, victimes d'émanations toxiques. Lors de son voyage inaugural, un homme a été jeté à la mer et l'une des citernes de ballast s'est mise à couler.

*La cathédrale de Cantorbéry, Angleterre. Les débuts de l'histoire de la cathédrale remontent à l'an 697 de notre ère, alors que saint Augustin, envoyé par le pape Grégoire le Grand comme missionnaire en Grande-Bretagne, a établi son siège (*cathedra*, en latin) à Cantorbéry. En 1170, l'archevêque de l'époque, qui allait plus tard devenir saint Thomas Becket, a été assassiné à Cantorbéry. Depuis, des milliers de pèlerins — comme le raconte Geoffroy Chaucer dans ses célèbres* Contes de Cantorbéry *— ont visité son sanctuaire.*

C'est toutefois Simon Sudbury, autre archevêque de Cantorbéry, qui hante la cathédrale. Il a lui aussi été assassiné, alors que Wat Tyler, menant la Révolte des paysans, l'a décapité en 1381. Le fantôme de Sudbury, qui hante la tour portant son nom, a un visage pâle et porte une barbe grise. Il apparaît en entier, même si sa tête a été enterrée à un autre endroit que son corps. Le fantôme d'un moine qui marche dans le cloître, donnant l'impression de réfléchir, est également présent.

Un passage de la cathédrale, connu sous le nom de Dark Entry *est supposé être hanté par le fantôme de Nell Cook, servante d'un chanoine. Selon la légende, Nell, après avoir découvert que son employeur entretenait une liaison, est devenu folle de rage et a empoisonné le chanoine et sa maîtresse. Son châtiment fut d'être emmurée vivante derrière l'entrée sombre, où son fantôme peut être aperçu les vendredis soirs obscurs.*

Les réparations ont demandé une demi-journée à l'issue de laquelle la moitié de l'équipage d'essai était décédé.

Quand il est revenu au port, le sous-marin était chargé de torpilles, dont l'une a explosé, tuant le deuxième officier. Les apparitions ont commencé peu de temps après. Juste avant que le sous-marin ne soit véritablement lancé pour sa première mission, en août 1917, un membre de l'équipage a vu monter à bord ce qu'il savait être l'officier décédé. Un autre homme l'avait vu lui aussi et tremblait de peur.

La marine allemande a commencé à s'inquiéter des rumeurs qui couraient et a confié à un officier supérieur la mission de mener une enquête; il en est revenu, convaincu que l'équipage disait la vérité. Le sous-marin a été mis en cale sèche en Belgique, où un pasteur luthérien a procédé à un exorcisme.

Le sous-marin a complété ses deux premières périodes de service sans incident, en grande partie en raison du fait que le capitaine avait menacé son équipage de punitions sévères, si on faisait mention des fantômes. Dès qu'il a été remplacé, les rumeurs d'apparitions ont recommencé.

En mai 1918, au large de la côte espagnole, le fantôme du deuxième officier a été aperçu et une autre apparition a mené à la folie un homme d'équipage affecté aux torpilles. Il s'est jeté dans la mer.

Un sous-marin américain a repéré le U-boot le 10 juillet 1918, un peu au sud de la côte irlandaise.

CI-DESSOUS : Le sous-marin UB65 *a connu d'énormes problèmes avant et après son lancement, lesquels se sont traduits par de nombreux décès. Des apparitions de fantômes se sont produites ensuite et ont duré jusqu'à son explosion inexpliquée, en 1918.*

PAGE OPPOSÉE : La légende du Hollandais volant *a inspiré les écrivains et les compositeurs, à travers les âges. Elle également fait l'objet d'un film,* Pandora, *mettant en vedette James Mason et Ava Gardner.*

Les Américains se sont préparés à l'attaque, mais avant qu'ils ne puissent lancer leurs torpilles, le sous-marin allemand a explosé. Lorsqu'ils se sont rendus sur les lieux pour procéder à une enquête, tout ce qui restait du sous marin consistait en de la fumée et des débris et tous les hommes d'équipage, au nombre de trente-quatre, avaient péri.

LE HOLLANDAIS VOLANT

Une apparition nautique beaucoup plus ancienne date du XVIIe siècle et il est probable qu'elle soit l'histoire de fantôme la plus connue, ayant été immortalisée par un opéra de Wagner. La légende du *Hollandais volant* trouve toutefois ses origines dans des événements qui se sont vraiment produits.

Le Capitaine Hendrick Vanderdecken a quitté Amsterdam, dans les Pays-Bas, à destination de Djakarta, en Indonésie en 1680. Alors que le vaisseau contournait le cap de Bonne Espérance, une terrible tempête s'est abattue, entraînant le bateau à la dérive. La totalité des membres de l'équipage a péri et, pour avoir osé affronter la tempête, le capitaine et son équipage ont reçu le châtiment d'être condamnés à naviguer pour l'éternité.

En 1835, un bateau anglais a été le premier à rencontrer le *Hollandais volant* fantomatique. Il naviguait vers eux en pleine tempête et la collision des deux navires semblait inévitable.

Le Colisée de Rome ou, plus exactement l'amphithéâtre Flavien, est le plus grand et le plus imposant bâtiment de Rome, même s'il n'affiche plus que l'ombre de son ancienne gloire. Sa construction a débuté entre 70 et 72 de notre ère, sous le règne de Vespasien, et son fils Titus l'a inauguré en 80. Le Colisée pouvait recevoir 50 000 spectateurs. Si certaines compétitions avaient lieu dans l'arène, qui pouvait même être inondée pour des simulacres de batailles navales, d'autres mettaient en scène des gladiateurs de même force ou impliquaient des hommes et des animaux sauvages. On ne s'étonnera donc pas que certaines traces de son passé cruel et violent demeurent.

Les visiteurs nocturnes du Colisée ont rapporté avoir entendu des épées s'entrechoquer, des chevaux renifler et des roues de chariots tourner. On raconte qu'une femme a été tirée de force vers le Colisée alors qu'elle s'apprêtait à partir et qu'une autre a effectué un voyage dans le temps, lorsqu'elle s'est retrouvée à l'époque des batailles de gladiateurs de la Rome ancienne.

PAGE OPPOSÉE : Baie de la Table, Cape Town, où le Hollandais volant *a été vu pour la dernière fois en 1942, pour disparaître ensuite.*

À DROITE : Le USS Hornet, *en 1945, au large de Tokyo, au Japon.*

Heureusement le *Hollandais volant* a soudainement disparu.

Plus tard, en 1881, deux membres de l'équipage du Navire de sa Majesté *Bacchante* ont vu le vaisseau fantôme et un homme a trouvé la mort en tombant du gréement, le lendemain.

Le bateau fantôme s'est approché de la côte de l'Afrique du Sud, en mars 1939 et a pu être aperçu par des baigneurs qui se trouvaient sur la plage. La dernière apparition a eu lieu en 1942, quand le Hollandais volant a été vu au large de la côte du Cap. Quatre personnes l'ont clairement distingué, naviguant dans la baie de la Table, avant de disparaître.

USS HORNET

Le huitième navire de guerre à porter le nom USS *Hornet* a été impliqué dans des attaques aux îles de Tinian, de Saipan, d'Iwo Jima, aux Philippines et à Okinawa, remportant neuf Étoiles de 1939-1945 pour ses services pendant la Deuxième guerre mondiale. Le navire a fait les manchettes quand il a récupéré les astronautes d'Apollo 11, à leur retour de la lune. Il a finalement été désarmé en 1970 et a plus tard été désigné comme « grand jalon historique », à l'ancienne station aéronavale d'Alameda, en Californie.

On prétend que l'USS *Hornet* est le navire de guerre le plus hanté de la marine américaine. Il a d'ailleurs, à plusieurs reprises, été le sujet de plusieurs émissions de télévision sur les phénomènes paranormaux. Des bruits de pas et des voix ont été entendus, les silhouettes fantomatiques de marins et d'officiers sont apparues et ont disparu, des vents forts ont été ressentis dans des endroits clos. Des radios et d'autres équipements se sont allumés et éteints. Même les plus sceptiques ont admis avoir vu des officiers en kaki descendre des échelles.

Il n'est pas surprenant que le navire soit le siège d'autant de manifestations. Bien qu'il ne s'agisse pas de l'USS *Hornet* qui a coulé, pendant la bataille des îles de Santa Cruz, en octobre 1942, au moins trois cents personnes sont décédées sur le bateau entre 1943 et 1970 — certaines à la suite d'accidents, d'autres au combat.

L'ancien capitaine, l'Amiral Joseph James Clark, mort en 1971, fait partie des apparitions. Clark était originaire d'Oklahoma et avait un héritage Cherokee. Il est le premier individu des Premières Nations à avoir reçu son diplôme de l'Académie navale des États-Unis, à Annapolis, Maryland, en 1917. Comme les autres fantômes du bateau, il n'est pas malveillant, mais plutôt enjoué et amical.

LE CANOË FANTÔME

Autre temps, autre lieu, un bâtiment de guerre complètement différent a été vu. Le 31 mai 1886, un groupe de touristes était en voyage au Lac Tarawera, île du Nord de la Nouvelle-Zélande, la même année où une importante éruption du Mont Tarawera a causé la mort de 150 personnes, mises en terre dans le village maori, sur la rive sud du lac.

Les touristes ont pu apercevoir un grand canoë maori, naviguant parallèlement à leur bateau. C'était un imposant long-courrier, appelé *waka*, qui était propulsé par quatre-vingts pagayeurs. Quand les touristes ont posé des questions à ce sujet aux anciens du village, ils ont été effarés, un bateau de ce type n'ayant jamais été vu sur le lac. Les Maoris ont alors cru qu'une catastrophe majeure allait survenir et ils avaient raison. Onze jours plus tard, le volcan a en effet entraîné la mort de nombreux membres de leur communauté.

LE *QUEEN MARY*

Le paquebot transatlantique RMS *Queen Mary*, de la Cunard White Star Line, a navigué sur l'Atlantique entre 1936 et 1967, alors qu'il dominait le transport transatlantique de passagers, avec le *Queen Elizabeth*, durant la période suivant la Deuxième guerre mondiale. C'est à John Brown & Co., de Clydebank, en Écosse, qu'on en avait confié la construction, laquelle a demandé près de six ans. Pendant la Deuxième guerre mondiale, le paquebot a servi au transport des troupes et, après trente ans de loyaux services, a eu droit à un repos bien mérité. Il a alors été converti en un hôtel de luxe, situé à Long Beach, Californie, où 150 chambres ont été ouvertes, en 1972.

Le Queen Mary, *un paquebot très hanté.*

MARY
HOTEL
Queen

À GAUCHE ET PAGE OPPOSÉE : Ancien grand paquebot transatlantique, le Queen Mary *est maintenant un hôtel de luxe, à quai à Long Beach, Californie.*

Après avoir été témoin des allées et venues de tant de gens et le siège de nombreux drames humains, incluant la mort de certains passagers, il n'est pas surprenant que le bateau soit truffé d'endroits hantés. Par exemple, pendant les années 1960, dans la chambre des machines, un membre de l'équipage avait été écrasé par la porte n° 13 et son fantôme s'y trouve toujours. Dans une autre salle des machines, les esprits de passagers clandestins, morts durant le voyage, peuvent également être vus et la piscine est hantée par deux enfants. L'odeur du mal de mer peut occasionnellement être perçue — de même qu'un soi-disant vortex, au moyen duquel il serait possible de passer dans une autre dimension. Il est censé se trouver directement sous une porte pivotante, qui a déjà servi de porte d'entrée à la piscine.

Pompéi, site inscrit sur la liste du Patrimoine mondial de l'UNESCO, présente les vestiges d'une ville romaine située près de Naples, en Campanie, Italie. Pompéi et la ville d'Herculanum ont été détruites et ensevelies sous plusieurs couches de cendres et de pumite, en 79 de notre ère, lors de l'éruption du Vésuve, volcan supposément éteint, laquelle a duré deux jours. Perdue pendant près de 1 700 ans, la ville a été accidentellement découverte en 1748. Depuis, le déblaiement continue de révéler des aperçus fascinants de la vie, à l'époque de l'empire romain.

Évidemment, dans un endroit où une catastrophe si violente s'est produite et où des milliers de personnes ont péri, on peut s'attendre à ce que des phénomènes paranormaux soient observés. Des visiteurs ont rapporté avoir entendu des cris, avoir vu des silhouettes fantomatiques et senti l'odeur du soufre.

Certaines personnes ont entendu les cris d'hommes mourant près des proues du bateau; le 2 octobre 1942, le *Queen Mary* est entré en collision avec un croiseur léger, le Navire de sa Majesté *Curaçao*, entraînant la mort de 338 personnes. Aucune des victimes n'a pu être sauvée, le *Queen Mary* ayant reçu l'ordre de ne pas s'arrêter, ni même de ralentir, ordre motivé par la crainte d'une attaque des sous-marins allemands.

CIMETIÈRE *BACHELORS GROVE*, MIDLOTHIAN, ILLINOIS

Depuis 1834, les gens de Chicago enterrent leurs morts au cimetière Bachelors Grove, lequel a la réputation d'être le cimetière le plus hanté du monde. La légende veut que son nom ait été choisi en mémoire des immigrants célibataires allemands, qui ont trouvé la mort pendant la construction du canal Illinois et Michigan, long de 101 kilomètres, qui s'est poursuivie de 1836 à 1848. En 1984, le Congrès américain l'a désigné comme premier corridor faisant partie du patrimoine national.

Bachelors Groves est étroitement associé aux assassinats des syndicats du crime de Chicago. Le crime organisé se servait en effet d'une petite lagune, qui entoure le cimetière, pour se débarrasser des corps de leurs victimes, à l'époque de la prohibition. Pendant un certain temps, il n'était pas inhabituel de voir des cadavres surgir de l'eau.

Le cimetière est le siège de nombreuses manifestations et apparitions étranges, comme celle de la Dame blanche, connue sous le nom de « Madone de Bachelors Groves ». Elle apparaît à la pleine lune, portant un enfant dans ses bras.

Certains ont aperçu des lumières bleues et des orbes, alors que d'autres ont été témoins d'automobiles fantômes,

CI-DESSOUS : Bachelors Groves, *cimetière baptisé en mémoire des nombreux immigrants célibataires allemands qui ont péri pendant la construction du Canal Illinois et Michigan.*

PAGE OPPOSÉE : La maison de Ronald De Feo junior. L'horrible crime de De Feo, qui a tué toute sa famille en 1974, a inspiré le roman L'horreur d'Amityville, *publié en 1977.*

pareilles à celles des gangsters, dans les années 1940.

Le *Chicago Sun Times* a publié une photo, prise à la fin des années 1980 ou au début des années 1990, montrant l'apparition d'une femme, assise sur une tombe, alors que sur le chemin menant au cimetière, une maison de ferme blanche est apparue spontanément à de nombreuses occasions dans les années 1950. Deux gardes forestiers ont vu, dans les années 1970, le fantôme d'un agriculteur vivant cent ans plus tôt, qui est tombé dans la lagune avec son cheval, alors qu'il labourait.

AMITYVILLE, COMTÉ DE SUFFOLK, NEW YORK

Amityville, décor du roman *L'horreur d'Amityville*, publié en 1977, allait devenir le plateau de plusieurs films réalisés entre 1979 et 2005. Bien qu'il s'agisse d'une œuvre de fiction, le roman s'inspirait d'un cas de meurtre véridique, qui s'est produit en novembre 1974, alors que Ronald De Feo a assassiné ses parents, ses deux frères et ses deux sœurs.

La scène de crime était située au 112, Ocean Drive et, durant son procès, Ronald De Feo a déclaré avoir entendu des voix lui ordonnant de tuer sa famille.

La cour a rejeté sa défense de troubles mentaux et l'a condamné à six peines d'emprisonnement à perpétuité.

En décembre 1975, George et Kathy Lutz ont acheté la maison à un prix dérisoire, en raison de son terrible passé. La famille n'y a toutefois vécu qu'un mois, déclarant que des phénomènes

Des employés du bureau du coroner retirant les cadavres du 112, Ocean Drive, à Amityville. Ronald De Feo a admis avoir tué sa famille, mais a expliqué qu'il avait entendu des voix lui ordonnant de le faire.

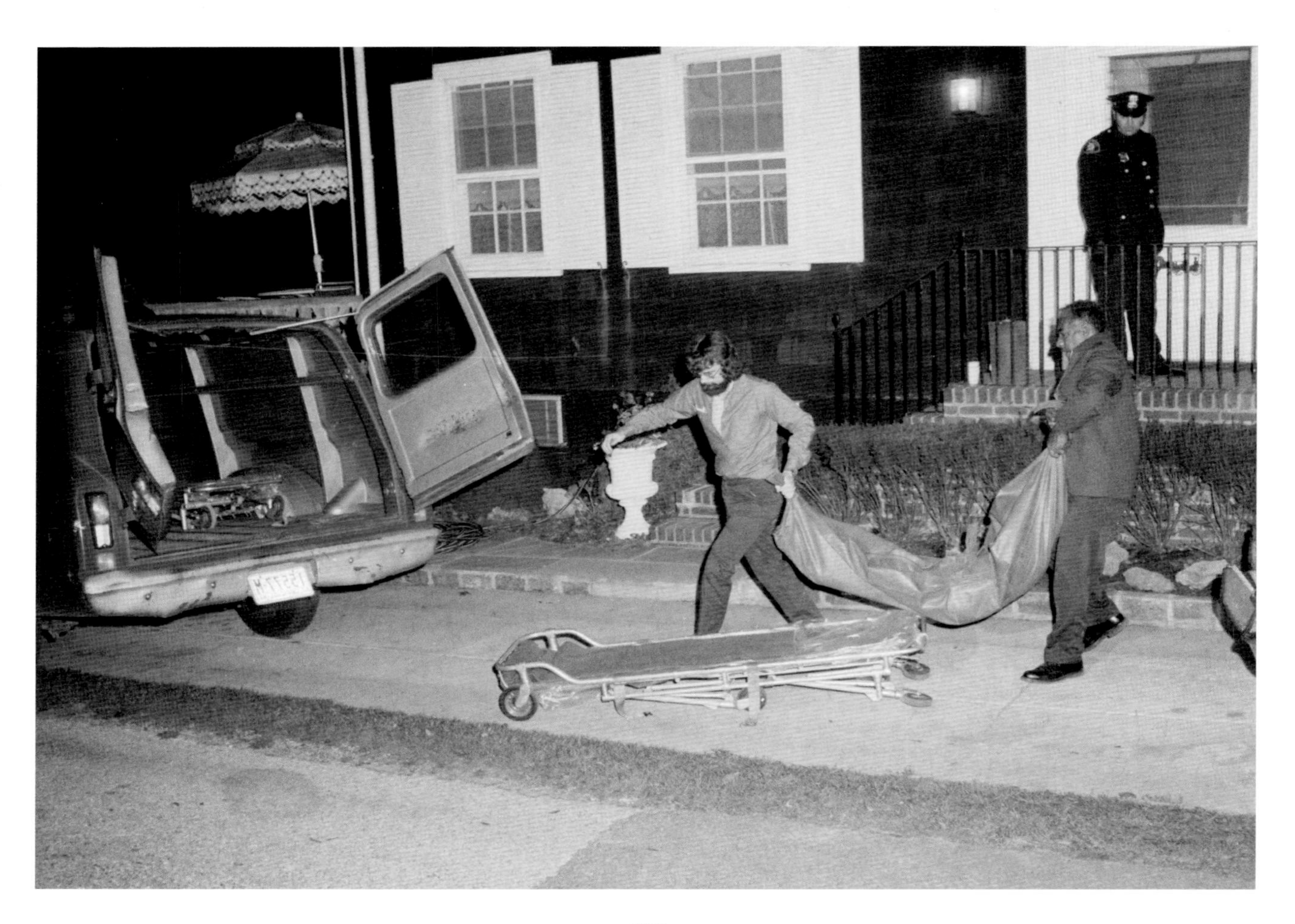

paranormaux l'avaient obligée à partir. Une grande enquête policière a été entreprise, au cours de laquelle ont participé des parapsychologues et l'Église catholique.

Des rumeurs circulent à l'effet que le terrain sur lequel la maison est située a été contaminé par une force maléfique.

La vérité, toutefois, a peut-être plus à voir avec l'argent qu'avec des manifestations, les Lutz ayant communiqué eux-mêmes avec l'auteur, Jay Anson, lui proposant d'écrire un livre qui décrirait leurs expériences. En retour, il en ferait un rapport sensationnaliste, comportant tous les ingrédients d'un best-seller, incluant des démons, des fléaux de mouches et des assassinats collectifs.

Quant à De Feo, il a lui aussi été probablement motivé par l'argent, la forte probabilité d'acquittement lui permettant de toucher l'assurance-vie de ses parents.

AGGIE LA NOIRE

Le Général Félix Angus est mort en 1925, après avoir été l'éditeur du journal *American*, de Baltimore. Il a été enterré au cimetière *Pikeville Druid Ridge*, près de Baltimore, dans le Maryland. Sur sa tombe, on a installé la sculpture noire d'une silhouette en deuil qui, à la lumière du jour, est celle d'un bel ange. Mais le soir, les yeux de la statue se mettent à briller. Elle a été surnommée « Aggie la Noire » et la légende veut que les fantômes du cimetière se réunissent autour d'elle après minuit et que toute personne vivante qui les voit devient aveugle. L'herbe ne pousse pas sous son ombre et une femme enceinte est certaine de faire une fausse couche si l'ombre d'Aggie la Noire plane au-dessus d'elle.

Les élèves d'un collège local ont un jour décidé d'intégrer la sculpture dans leurs rites d'initiation. Le candidat malchanceux était obligé de passer la nuit en sa compagnie. Cette pratique s'est toutefois abruptement interrompue après que l'un des jeunes ait été découvert, mort de peur.

Aggie la Noire est devenue si célèbre que la famille Angus a réalisé qu'elle devait intervenir. La sculpture a été retirée et remise à la *Smithsonian Institution*, en 1967. La rumeur veut que cette vénérable institution ait refusé de l'exposer, craignant que la malédiction ne frappe les visiteurs.

ÉTRANGE MÉPRISE

En 1878, la jeune fille de D.J. Demarest, épicier de Patterson, New Jersey, est morte subitement et le corps a été préparé pour l'enterrement, la semaine suivante. Demarest, qui avait pleuré et prié à côté du cercueil, a été soudainement si abattu par le désespoir et l'épuisement qu'il s'est profondément endormi dans un fauteuil.

Il s'est réveillé pour voir ce qu'il croyait être une apparition de sa fille, debout dans l'encadrement de la porte, enveloppée de son linceul. Elle s'est avancée vers son père, s'est assise sur ses genoux et a mis ses bras autour de son cou. Toutefois, la jeune fille s'est soudainement affaissée et le père a tenté, en vain, de la réanimer. Au désespoir, Demarest a appelé le médecin, qui a confirmé que la petite était dans le coma, mais que, cette fois, elle était bel et bien morte. On croit que Demarest a devancé les funérailles et que la petite a été enterrée le jour même.

LE CRÂNE DE CORDER

Le 11 août 1828, à Bury St-Edmunds, dans le Suffolk, en Angleterre, William Corder a été pendu pour un meurtre infâme à la *Red Barn*. Même si le fait que Corder ait été ou non le véritable meurtrier est le sujet de nombreuses spéculations, il a été accusé d'avoir assassiné Maria Marten par balle.

Selon la pratique courante de l'époque, le corps de Corder a été envoyé à la faculté de médecine pour sa dissection.

Bizarrement, sa peau a été tannée et a servi à fabriquer la reliure d'un livre exposant les détails de son procès. Son squelette a continué d'être utilisé dans les cours d'anatomie et, beaucoup plus tard, un certain Dr Kilner a volé le crâne de Corder et l'a remplacé par un autre. Kilner a poli le crâne et l'a placé comme décoration dans son salon.

À partir de cet instant, quiconque entrait dans la pièce se sentait vraiment mal à l'aise. Des bruits étranges se faisaient entendre, le martèlement était fréquent, les portes s'ouvraient et se refermaient toutes seules et les serviteurs de Kilner ont vu un homme habillé à l'ancienne.

Kilner n'était pas du tout certain que ces événements avaient vraiment eu lieu, mais il allait changer d'avis très bientôt. Un jour, alors qu'il était étendu sur son lit, il a été réveillé par un bruit si fort qu'il s'est levé pour en connaître la cause.

Il est arrivé en bas juste à temps pour voir une main blanche ouvrir la porte du salon mais, comme il approchait, la porte a été littéralement sortie de ses gonds. Imperturbable, le médecin est entré dans le salon où il a ressenti un vent glacial souffler sur lui. Sa chandelle s'est éteinte et Kilner a tâtonné pour trouver une allumette. Dans la lumière tremblante, il a vu le crâne reposant sur le sol, lui souriant, et les fragments de la boîte dans laquelle il se trouvait étaient éparpillés dans toute la pièce.

Kilner a décidé de s'en défaire : sa première idée était de le remettre là où il l'avait pris, mais comme il l'avait déjà poli, son vol aurait été évident. Il a, à la place, décidé d'en faire cadeau à un

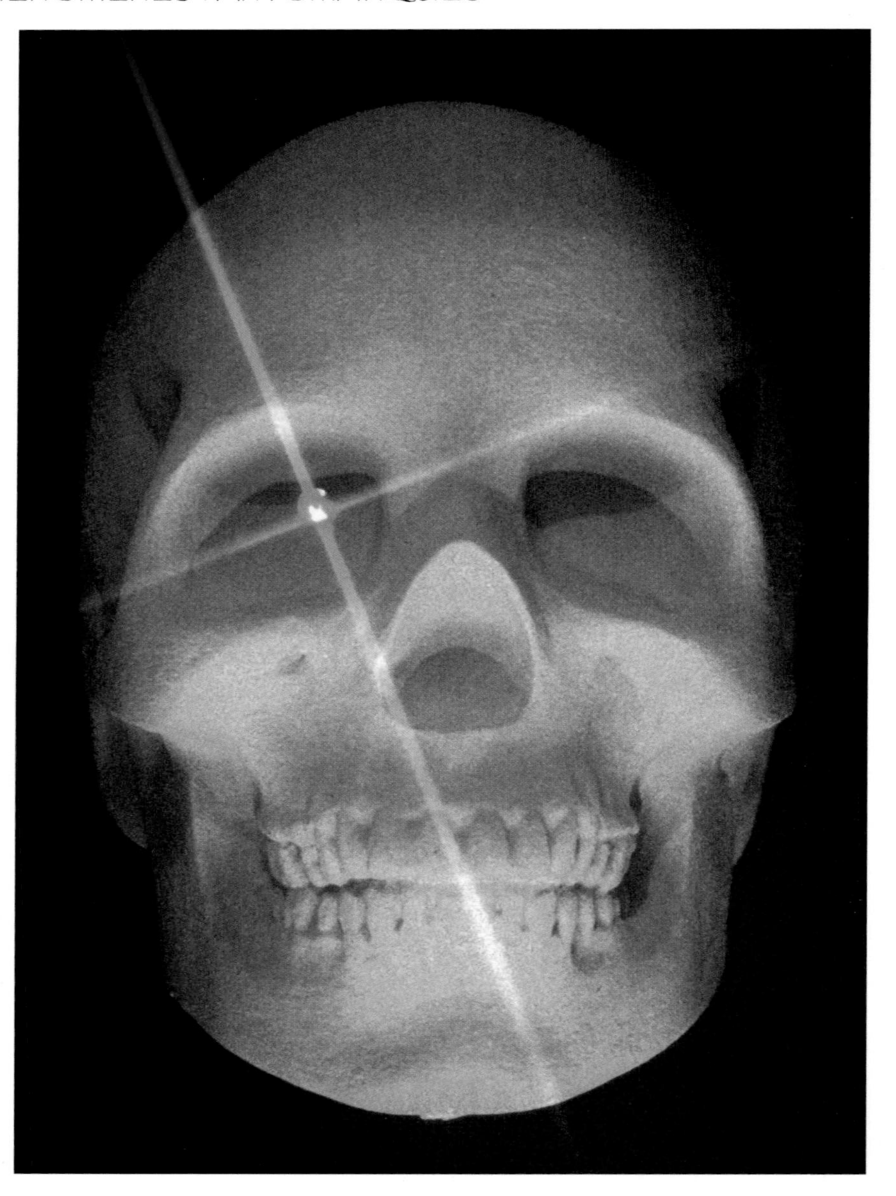

À DROITE : Le crâne poli de Corder a hanté ceux qui le possédaient, entraînant le malheur dans son sillage.

PAGE OPPOSÉE : La voûte Chase, où les cercueils se déplacent tout seuls.

commissaire de prison à la retraite, F.C. Hopkins. Ce dernier avait déjà en sa possession quelque chose de plutôt macabre : il avait fait l'acquisition de la prison Bury St-Edmunds, où Corder avait été exécuté.

Hopkins était très heureux de son cadeau mais, en route vers la maison, il a trébuché et le crâne a roulé, hors du mouchoir dans lequel il était enveloppé, causant une syncope chez la dame qui l'a aperçu. Peu de temps après, Hopkins et Kilner ont dû déclarer faillite, ayant soi-disant été affligés par l'influence maléfique du crâne. Hopkins a finalement décidé d'y mettre fin. Il a choisi une sépulture où enterrer le crâne et la malédiction a été brisée dès qu'il a touché le sol consacré.

LA VOÛTE CHASE

Près de Bridgetown, capitale de la Barbade, se trouve le cimetière *Christ Church*, au sein duquel un énorme édifice, connu sous le nom de « voûte Chase », a été construit. Il était initialement destiné à la famille Chase, mais d'autres personnes y ont aussi été enterrées.

Le premier cercueil à avoir pris place dans la voûte contenait le corps de Thomasina Goddard, lequel a été rejoint, l'année suivante par celui de Mary Ann Chase, âgée de deux ans et, en 1812, par sa celui de sa sœur aînée, Dorcas. Au cours de la même année, le corps du père des deux filles, Thomas Chase, y a aussi été enterré.

Thomas Chase avait très mauvaise réputation et était détesté par les habitants de l'île. D'ailleurs, selon la rumeur, Dorcas se serait privée de nourriture jusqu'à ce que mort s'ensuive, en raison de la cruauté de son père. Quand le cercueil de Thomas Chase a fait son entrée dans la voûte, on a découvert que les autres tombes avaient changé de position et que celui de Mary Ann Chase se trouvait maintenant de l'autre côté de la pièce. La première supposition était que quelqu'un y était entré par effraction, pour une tentative de vol, mais cela ne semblait

Le Mont-Saint-Michel, une île de la baie du Mont, au large de la côte de Marazion, Penzance, Cornwall, est accessible par bateau mais on peut également s'y rendre, à marée basse, à pied, en marchant sur le sable. C'est un endroit vraiment magique comprenant une église, un château médiéval (résidence de la famille Saint-Aubyn depuis plus de 300 ans), un jardin exotique épousant ses flancs escarpés et un port historique.

Il va sans dire que le Mont a sa part de phénomènes paranormaux. Le fantôme d'une Dame grise a été vu courant dans le long passage du château pour disparaître par une fenêtre à son extrémité. Le fantôme, souvent vu et entendu par les résidents, est réputé être celui d'une servante qui y a déjà travaillé. Après avoir donné naissance à un enfant, elle a été rejetée par son amoureux à l'autel, ce qui l'a amenée à se lancer par la fenêtre, sur les pentes rocailleuses se trouvant plus bas.

Une autre présence plus machiavélique s'y trouve, produisant des sons, tournant les poignées de porte et cachant des objets, pour les rendre quelques jours plus tard.

pas être possible puisque le ciment retenant la dalle qui servait de porte, était intact.

Les cercueils ont été remis en place et la dalle, scellée de nouveau. Le 25 septembre 1816, la voûte a été rouverte pour recevoir, cette fois, le corps de Charles Brewster Ames. On a alors constaté que les cercueils avaient encore changé de place, incluant celui de Thomas Chase, lequel avait requis les efforts de huit hommes pour être transporté dans la voûte.

Le père de Charles Ames, Samuel, a rejoint son fils deux mois plus tard, après avoir d'abord été enterré ailleurs. On a, de nouveau, procédé à la fragmentation rituelle du ciment et, une fois à l'intérieur, il était évident que les cercueils avaient été déplacés. Quatre des cinq cercueils étaient fabriqués en plomb et, bien qu'au mauvais endroit, ils n'avaient pas subi de dommages, mais celui de Thomasina, en bois, était très endommagé. Malgré une enquête rigoureuse, personne n'a pu expliquer ce qui avait bien pu se produire.

La voûte a été ouverte de nouveau en juillet 1819. Cette fois, les cercueils des enfants avaient été placés sur ceux de leurs aînés, plus grands, et celui qui était fabriqué en bois avait été poussé contre le mur.

Lord Combermere, gouverneur de l'île, est allé en personne prendre connaissance de la situation. Il a décidé de saupoudrer du sable sur le sol de la voûte, ce qui permettrait de révéler les traces de quiconque y entrerait. Il a personnellement supervisé la fermeture de la voûte, marquant de son sceau le ciment humide.

En avril 1820, le gouverneur a ordonné qu'on ouvre la voûte. Encore une fois, les cercueils étaient en désordre, à l'exception de celui qui avait été fabriqué en bois, mais il n'y avait aucune trace de pas dans le sable. Le gouverneur, aussi furieux que perplexe, a alors ordonné que les cercueils soient enterrés ailleurs. Depuis, la voûte Chase est vide.

Certains blâmaient Dorcas Chase qui, à la suite de son suicide ne pouvait qu'être un esprit agité, alors que d'autres affirmaient plutôt que le fantôme de Thomas Chase, homme de mauvaise réputation de son vivant, peut-être encore plus malveillant dans la mort, était responsable des événements.

DES VISAGES DANS L'EAU

En décembre 1924, le pétrolier SS *Watertown*, était en route vers le canal de Panama, en partance du littoral du Pacifique. Pendant ce temps, James Courtney et Thomas Meehan étaient occupés à nettoyer l'une des citernes du bateau. Des vapeurs toxiques les ont malheureusement enveloppés et, suivant la tradition, leurs corps ont été inhumés dans la mer. D'étranges événements ont commencé à se produire dès le lendemain, alors que des membres d'équipage ont rapporté avoir vu les visages des deux hommes dans le sillage du bateau.

Les visages ont suivi le pétrolier pendant plusieurs jours, pendant qu'il traversait le canal de Panama pour atteindre la Nouvelle-Orléans.

Au port, un représentant de la succursale locale de l'entreprise a remis un rouleau de film au Capitaine Tracy, dans l'espoir qu'il serait en mesure de photographier les visages. En fait, six photos ont été prises. Cinq d'entre elles ne présentaient aucun intérêt alors que la sixième montrait clairement les deux visages.

Avant qu'une véritable enquête ne soit entreprise pour tenter d'expliquer les événements, dix ans se sont écoulés, au cours desquels le premier lieutenant est décédé, de même que le représentant de la Nouvelle-Orléans. Il était maintenant devenu difficile de retracer les membres d'équipage, dont le capitaine.

Ce qui est clair est le fait que l'entreprise avait retenu les services d'une agence de détectives pour vérifier l'authenticité de la photographie que le Capitaine Tracy et son mécanicien adjoint juraient être vraie. Malheureusement, les négatifs ont été perdus et on n'a jamais compris pourquoi une seule des six photographies montrait les visages.

Le canal de Panama. Deux hommes ont perdu la vie à bord du SS Watertown*, alors qu'il naviguait sur le canal de Panama, en 1924. Selon la tradition, ils ont été inhumés en mer et l'équipage a observé plus tard les visages des deux hommes, dans la mer.*

La côte de Calabre, qui occupe l'orteil de la « botte » italienne, est une étroite péninsule qui s'avance dans la Méditerranée. Elle est entourée par la mer Tyrrhénienne, à l'ouest, et la mer Ionienne, à l'est.

Un étrange phénomène s'est produit dans les montagnes de Calabre, alors que des gens ont rapporté avoir vu une lumière blanche briller dans la nuit. Certains ont déclaré qu'il s'agissait d'une femme pâle, portant une robe blanche, qui a marché pendant environ une minute, avant de disparaître, vers minuit.

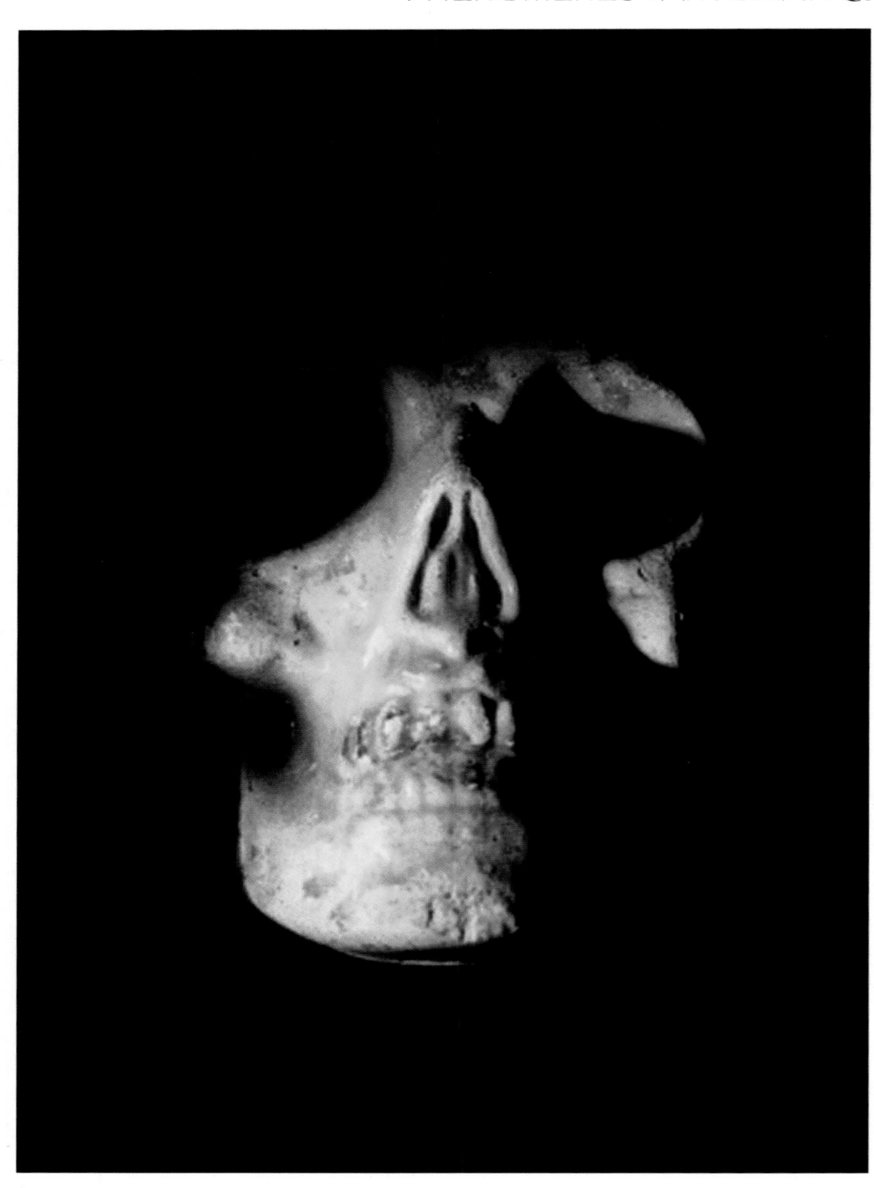

LE CRÂNE HURLANT DU MANOIR DE BETTISCOMBE

Le cas étrange du crâne de Corder (voir page 225) n'est pas unique, bien d'autres manifestations du même ordre se sont produites en Grande-Bretagne, certaines d'entre elles étant tout aussi mystérieuses. La plus célèbre est peut-être celle du phénomène du crâne hurlant du manoir de Bettiscombe où, semble t-il, le crâne refuse d'être déplacé, s'objectant avec force, si une tentative de l'enterrer est entreprise.

La légende veut que le crâne soit celui d'un serviteur noir qui, sur son lit de mort, avait déclaré qu'il ne reposerait en paix que lorsque ses cendres retourneraient en Afrique. En fait, le corps a été enterré dans un cimetière local. Les cris l'ont tellement perturbé qu'on a décidé d'exhumer les restes et de les enterrer sous le manoir. Ce rituel a été effectué à plusieurs reprises résultant, chaque fois, en des hurlements qui pouvaient durer pendant plusieurs semaines.

À GAUCHE : Le célèbre crâne du manoir de Bettiscombe est censé hurler son objection, chaque fois qu'il est question de le remettre en terre.

PAGES OPPOSÉE ET 236-237 : L'île de Skye, où des Écossais des Hautes-Terres fantômes ont été vus en 1956.

Au fil des ans, la majeure partie du corps est demeurée enterrée, exception faite du crâne.

Pendant plusieurs années, ce dernier est demeuré silencieux, criant seulement lorsqu'il était question de le remettre en terre. On raconte également que, juste avant le déclenchement de la Première guerre mondiale, le crâne s'est mis à saigner. Au dire de tous, le crâne se trouverait toujours quelque part, dans la maison, mais il est beaucoup plus probable qu'il ne s'agisse pas du même, le crâne qui s'y trouve provenant d'un site préhistorique.

BATAILLES ANCIENNES

Les soldats partent à la guerre, dans l'espoir de revenir mais, pour certains, le combat semble ne jamais connaître de fin, même dans la mort. L'exemple qui suit, illustrant une bataille spectrale de l'époque romaine, est bien différent, en ce sens qu'il ne s'agit pas d'un retour dans le passé, mais bien d'un bond en avant.

Les résidents locaux ont commencé à rapporter qu'ils entendaient des sons associés à une bataille en train d'avoir lieu dans la plaine de la Campanie et les marques des sabots des chevaux et autres manifestations évidentes de la guerre ont été clairement vues, imprimées dans le sol. Des témoins ont cru que c'était une bataille entre des esprits maléfiques, alors qu'en fait, il s'agissait d'un conflit qui ne s'était pas encore produit. Peu de temps

après, une véritable bataille s'est produite exactement au même endroit.

La bataille de Culloden est la dernière à avoir eu lieu sur le continent britannique, le 16 avril 1746. C'est le conflit qui a mis un terme à la montée du jacobinisme, amorcée en 1745, entre les jacobins, pour la plupart des Écossais des Hautes-Terres, et les hanovriens, la cause des jacobins étant la restauration de la Maison Stuart (Stewart, en écossais) sur le trône d'Angleterre. La bataille a été sanglante, mais n'a duré qu'une heure, se traduisant par la défaite du jeune prétendant, Bonnie Prince Charlie, et de ses Highlanders à la faveur du duc de Cumberland, le plus jeune fils du souverain hanovrien, le Roi George II.

Encore de nos jours, des gens ont déclaré avoir vu des armées fantômes condamnées à prendre part à une bataille, certains portant clairement des tartans, alors que sur le champ de bataille, un Écossais des Hautes-Terres, à la chevelure foncée, peut être vu se reposant, assis sur le haut d'un monticule de terre.

Des Highlanders de la même époque ont été vus en 1956, cette fois sur l'île de Skye, dans les collines Cuilin. Deux étudiants ont été réveillés à 4 h, un matin du mois de novembre, par des Écossais des Hautes-Terres épuisés, qui passaient devant eux.

En Croatie, en 1888, des témoins ont pu observer une énorme armée composée de soldats d'infanterie, menée par un général à l'épée enflammée, marcher dans le ciel. D'autres personnes ont commencé à s'attrouper à Varaždin, dans l'espoir de voir le phénomène, et ont été récompensées par au moins deux autres occurrences, certaines durant plusieurs heures.

INCENDIE FANTÔME

En juin 1857, alors que les Britanniques étaient en Inde, deux membres de la cavalerie bengalis ont assassiné leur chef d'escadron et sa famille, avant d'incendier leur maison. Plusieurs années après cet événement, un phénomène terrifiant a pu être observé et a été attesté par plusieurs officiers de l'armée britannique.

Les bâtiments qui avaient été construits sur le site, après la tragédie, ont commencé à se réchauffer au beau milieu de la nuit et on pouvait voir une lumière vacillante, suggérant la présence d'un incendie. En 1917, cet incident s'est produit pendant quatre nuits consécutives et les témoins ont vu se mouvoir des silhouettes vêtues de façon étrange. Les officiers ont pensé qu'il s'agissait du retour d'un événement antérieur, mais une enquête a révélé que c'était une répétition fantomatique de ce qui s'était produit soixante ans plus tôt.

LES OMBRES D'AL CAPONE

Plusieurs des endroits associés au Massacre de la Saint-Valentin et à Al Capone (voir page 83) ont disparu au fil des ans, incluant l'entrepôt situé sur la rue North Clark, où le massacre a eu lieu en 1929.

CI-DESSUS : Al Capone, mort de causes naturelles à Alcatraz.

PAGE OPPOSÉE : Aujourd'hui, Chicago est une ville très différente, si on la compare à ce qu'elle était dans les années 1920 et 1930.

Certains se rappellent avoir vu des photographies des corps dans les journaux et, pendant un certain temps, l'entrepôt est devenu une attraction touristique. Toutefois, en 1967, le bâtiment a été démoli et un homme d'affaires canadien a fait l'acquisition des briques criblées de balles, avec lesquelles il a construit un mur dans la toilette des hommes de sa boîte de nuit, en 1972. À la fermeture de son établissement, il a entreposé les 417 briques, avant de décider de les vendre au coût de 1 000 $ chacune. Les gens qui en ont acheté ne pouvaient pas savoir que, ce faisant, ils allaient faire face au divorce, à la maladie, à la ruine financière et à la mort.

Encore aujourd'hui, on dit que les chiens aboient quand ils s'approchent du site, sentant probablement un esprit malveillant, alors que d'autres affirment avoir entendu des coups de feu et des gens crier.

À GAUCHE : L'entrepôt de la SMC Cartage Company*, au 2122, North Clark, à Chicago où a eu lieu le massacre de la Saint-Valentin, le 14 février 1929. Le bâtiment a été démoli en 1967 et ses briques vendues au prix de 1 000 $ chacune. Toutes les personnes qui en ont acheté ont par la suite fait face à la malchance.*

À DROITE : Les répercussions du massacre de la Saint-Valentin. Ce jour-là, six membres du gang O'Banion-Moran ont été pris au piège dans un garage, où ils attendaient une supposée cargaison illégale d'alcool. À la place, une Cadillac est arrivée, transportant trois hommes habillés en policiers, qui ont aligné contre le mur les six bandits et un mécanicien du garage. Deux hommes habillés en civil et munis de mitraillettes ont ensuite fait leur entrée et fusillé les sept hommes. Si on pense qu'Al Capone en a été l'instigateur, personne n'a jamais été condamné pour ce crime.

CHAPITRE HUIT
POLTERGEIST

Le terme *poltergeist* provient de l'allemand et signifie «esprit frappeur». L'activité poltergeist est également caractérisée par le mouvement ou le lancement d'objets. Plusieurs cas semblent impliquer un individu vivant qui devient partie intégrante du phénomène contre sa volonté, ces personnes pouvant presque être décrites comme étant elles-mêmes hantées. Les cas sont souvent extraordinaires et ont été vécus partout dans le monde.

À DROITE : Le poltergeist des Enfield est l'un des plus célèbres cas de l'histoire contemporaine. Il s'articule essentiellement autour d'une petite fille de onze ans, Janet Harper. Des coups sont frappés, des meubles déplacés et Janet a été physiquement projetée hors de son lit, dans le nord de Londres, en 1977-1978.

PAGE OPPOSÉE : Sur cette photo, les couvertures sont tirées et le rideau se met à bouger pendant que Janet est endormie.

ESTHER COX

Une telle victime habitait à Amherst, en Nouvelle-osse.
En 1878, Cox, âgée de 19 ans, vivait dans une petite maison louée, avec sa sœur, Olive Teed, le mari de cette dernière, Daniel, et leurs deux jeunes enfants. Le petit cottage surpeuplé abritait également le frère et la sœur d'Esther, Jennie et William, de même que le frère de Daniel, John.

Tout à coup, l'horreur a frappé la famille, mais elle n'était pas de nature paranormale. Esther a failli être violée par une connaissance, Bob MacNeal et, si elle s'en est tirée avec des blessures mineures, la violence a semblé déclencher ce qui allait survenir ensuite.

La famille a commencé à entendre des bruits, en provenance de la chambre d'Esther, qu'elle partageait avec sa petite sœur Jennie. Un jour, Esther s'est réveillée, le visage et les bras enflés. La source du bruit n'a pas été trouvée. L'enflure d'Esther se dissipait, pour réapparaître, aussi sévèrement quelques jours plus tard. Puis, une main invisible a commencé à retirer les couvertures du lit, à lancer des objets dans la chambre et un message est apparu sur le mur : « Esther Cox, tu es à moi et je suis là pour te tuer. »

Plusieurs ont cru qu'Esther causait elle-même les perturbations, mais en vérité, elle était terrifiée et a commencé à être gravement malade. On l'a envoyée vivre ailleurs et les activités ont abruptement cessé dans la maison Teed. Dès le retour d'Esther, tout a recommencé. Des allumettes étaient maintenant allumées et jetées partout, donnant naissance à de petits incendies autour de la maison. Un esprit, disant lui-même se prénommer Bob, a commencé à communiquer avec Esther.

Daniel Teed a ordonné à la jeune fille de quitter la maison. Elle a été employée dans un restaurant, où le poltergeist l'a suivie. Après s'être finalement retrouvée sans abri, Esther a été emprisonnée pour incendie volontaire, lorsqu'une ferme a été brûlée. Personne ne l'a crue quand elle a expliqué que le poltergeist avait allumé l'incendie. Après sa libération, l'activité poltergeist a diminué, pour cesser totalement.

LE PHÉNOMÈNE DE LA SORCIÈRE BELL

En 1817, à Robertson, Tennessee, John et Lucy Bell vivaient sur une ferme, avec leurs neuf enfants. Ils ont tout d'abord entendu des bruits et des grattements, puis les couvertures ont été tirées des lits et les meubles et d'autres objets ont commencé à être lancés.

L'activité centrale semblait concentrée sur l'un des enfants, Élizabeth. Elle et son frère, Richard, sentaient parfois qu'on leur tirait les cheveux, alors qu'un jour, la famille et des voisins ont vu Élizabeth recevoir des gifles dans le visage.

John Bell a commencé à être malade : sa langue enflait et le poltergeist qui, maintenant, parlait, lui a indiqué qu'il souffrirait pendant le reste de ses jours. Au désespoir, Élizabeth s'est sentie obligée de tomber malade, croyant que l'esprit habitait son corps; elle ressentait des picotements.

Après plusieurs années de souffrances intenses, son visage maintenant tordu par la douleur, John Bell est décédé le 20 décembre 1820. Après sa mort, les activités du poltergeist se sont atténuées et les derniers mots qu'il a prononcés sont «je serai parti pendant sept ans».

Certains pensent qu'il ne s'agit pas d'un phénomène poltergeist et qu'Élizabeth a mis en scène les événements, allant, peut-être jusqu'à empoisonner son père. Les sceptiques, toutefois, suggèrent qu'il existe une autre cause à tout cela, comme une relation incestueuse entre le père et sa fille.

LE POLTERGEIST IVRE

Léon Dénizarth Hippolyte Rivail, intellectuel de Paris, a enquêté sur le cas étrange d'un poltergeist qui hantait une maison sur la rue des Noyers, en 1860. Il s'agissait d'un esprit malveillant et désagréable, appelé Saint-Louis, qui brisait des fenêtres et des objets dans la maison, ce qui a entraîné le départ de la famille.

Rivail a communiqué avec le poltergeist, à l'aide d'un médium. L'esprit lui a expliqué qu'il était mort soixante ans plus tôt et qu'il se manifestait par l'entremise d'une servante. Le poltergeist a déclaré se venger sur la famille, en raison des moqueries suscitées par son ivrognerie et dont il faisait l'objet de son vivant.

LES POLTERGEIST ET LA PUBERTÉ

En mars 1850, le révérend E. Phelps, un homme fasciné par les phénomènes paranormaux, a tenu une séance chez lui à Stratford, Connecticut. Après la séance, la famille s'est rendue à l'église mais, à son retour, les meubles avaient été déplacés et les coussins et les oreillers avaient été réunis de façon à imiter une silhouette humaine.

Le poltergeist semblait concentrer son attention sur deux personnes. Le révérend avait un fils, Harry, qui avait douze ans, et une fille, Anna, âgée de seize ans. Incidemment, ils étaient tous deux dans la phase de la puberté. L'activité s'est poursuivie : des roches étaient lancées, des objets, écrasés, et Anna a été attaquée physiquement. Quand la famille est déménagée pour de bon, les activités ont cessé aussi abruptement qu'elles avaient commencé.

LA GARDIENNE DU TRÉSOR

Un autre cas bizarre a été observé dans le Myanmar, en 1928. Dans son livre, *Trials in Burma*, Maurice Collis raconte avoir rencontré le fantôme d'une vieille femme arakanne. Ce soir-là, il avait travaillé tard avec un collègue. Ils ont subitement ressenti un léger tremblement, comme si une secousse sismique de faible intensité avait secoué l'édifice. Inopinément, ils ont fait face à une femme, debout sur la véranda. Elle ne parlait pas et a disparu de la même façon qu'elle était apparue : elle s'est volatilisée, alors que l'endroit ne comportait aucune issue.

Collis a été ébranlé par l'événement et les résidents locaux ont confirmé qu'un fantôme féminin avait été emprisonné dans le bâtiment par les anciens rois de la Birmanie pour qu'il garde leur trésor. La femme avait été enterrée vivante pour que son esprit soit pris au piège. Quand Collis a demandé pourquoi l'immeuble avait tremblé, on lui a répondu que le fantôme souhaitait attirer son attention et que

Brasilia, Brésil. En 1960, un couple se dirigeant vers la maison, après son mariage, a mystérieusement été attaqué par une pluie de pierres.

l'immeuble n'avait pas bougé : son propre esprit avait subi une secousse.

PLUIES DE PIERRES

Voici deux cas qui ont été rapportés au Brésil et que seulement cinq ans séparent. Le premier événement a eu lieu dans la capitale, Brasilia, en 1960. Dans la nuit du 18 au 19 septembre 1960, un couple qui venait de se marier, roulait sur la route principale, vers Belo Horizonte, accompagné de leurs parents et d'un distingué médecin brésilien, le Dr Olavo Trindade. Par temps clair, et alors qu'ils n'avaient pas encore atteint les limites de la ville, la voiture s'est mise à surchauffer. Ils se sont donc arrêtés et, comme ils sortaient de la voiture, des pierres ont

commencé à leur être lancées, provenant de toutes les directions, ce à quoi le chauffeur, paniqué, a répondu en tirant quatre coups de feu dans la nuit.

Le médecin a ramassé quelques pierres et ils sont retournés dans la voiture. Ils se sont rendus à la police, à qui ils ont montré les pierres et offert de les accompagner à l'endroit où avait eu lieu l'incident. Cette fois, quand la pluie de pierres a commencé, le chauffeur a constaté que son pistolet s'était enrayé. La police a balayé le secteur avec des torches, mais il n'y avait absolument personne. Ils sont partis, sous un bombardement de pierres et, cette fois, du sable a commencé à souffler à l'intérieur de la voiture.

Soudain, le chauffeur a senti que quelqu'un tentait d'ouvrir la portière et, même s'il en retenait la poignée, elle s'est ouverte et refermée à plusieurs reprises. Le chauffeur a pu apercevoir une forme vague à l'extérieur.

Quand ils sont sortis de cette zone, non seulement le pistolet fonctionnait normalement, mais la voiture ne présentait pas une seule égratignure.

UN CAS FATAL

À São Paulo, Maria José Ferreira a été tuée par un poltergeist. C'était en décembre 1965. Le poltergeist a attaqué Maria chez elle, à Jabuticabal, en la mordant, la giflant et en incendiant ses vêtements. Il a même tenté de l'étouffer pendant qu'elle dormait en mettant des objets sur son nez et sur sa bouche.

Un jour, Maria a avalé un insecticide et personne ne sait si le poltergeist l'a rendue folle, l'incitant à s'administrer le poison, ou s'il est directement responsable de sa mort. Elle n'avait que treize ans.

São Paulo, Brésil. À cet endroit, en 1965, un poltergeist semble avoir mené Maria José Ferreira à la mort.

L'EXORCISTE

L'œuvre cinématographique, tirée du livre *L'Exorciste*, est le premier film d'horreur à avoir connu un tel succès commercial et, bien qu'il s'agisse essentiellement d'une œuvre de fiction, l'histoire est inspirée d'un fait réel.

Dans la réalité, le sujet était un garçon, et non une fille. Il s'appelait Douglas Deen, était âgé de 14 ans et vivait dans la banlieue de Washington, D.C., en 1949. Des bruits étranges venant de sa chambre ont commencé à être entendus et ses parents ont retenu les services d'un spécialiste en dératisation. Rien d'inhabituel n'a toutefois été découvert et les bruits ont continué.

L'activité poltergeist a graduellement augmenté en intensité : des meubles bougeaient, des images tombaient des murs, le lit de Douglas tremblait et était secoué pendant toute la nuit. Après avoir passé une nuit dans la maison, des voisins sceptiques ont radicalement changé d'avis, ce qui a rendu encore plus évidente la nécessité de prendre des mesures draconiennes.

La famille a donc fait appel au révérend Winston qui, bien que lui-même sceptique, a accepté de passer la nuit dans la chambre de Douglas. Il a décrit comment le lit du petit s'était mis à vibrer et les grattements et les griffures qu'il entendait, provenant des murs. L'homme d'église a allumé les lumières, mais n'a rien vu.

PAGE OPPOSÉE ET À DROITE : Un dangereux poltergeist a commencé à hanter la maison du photographe pigiste Graham Stringer et de sa famille, au début des années 1960. Sa femme et lui l'ont surnommé « Larry » pour ne pas effrayer leur petit garçon de quatre ans, Steven, qui ne cessait de poser des questions à son sujet. Le pyromane fantôme a commencé à incendier des objets dans la maison, une activité qui a duré trois années sur quatre, habituellement autour de Pâques. L'année où il ne s'est rien passé, un prêtre catholique avait mené un exorcisme, mais les incendies ont recommencé de nouveau.

Une fois, Mme Stringer a dû appeler le service des incendies, alors que l'ameublement du salon et l'ours en peluche du petit se sont enflammés sans raison apparente. À la suite de ces événements, une lumière grise fluorescente et vacillante, à peu près de la taille d'un homme, a été aperçue.

7

Quand Scotland Yard est allé enquêter, les inspecteurs ont cru l'histoire racontée par les Stringer, surtout qu'ils n'avaient aucune assurance contre les incendies, indiquant qu'ils étaient sincères et qu'ils ne cherchaient pas à être remboursés par une assurance.

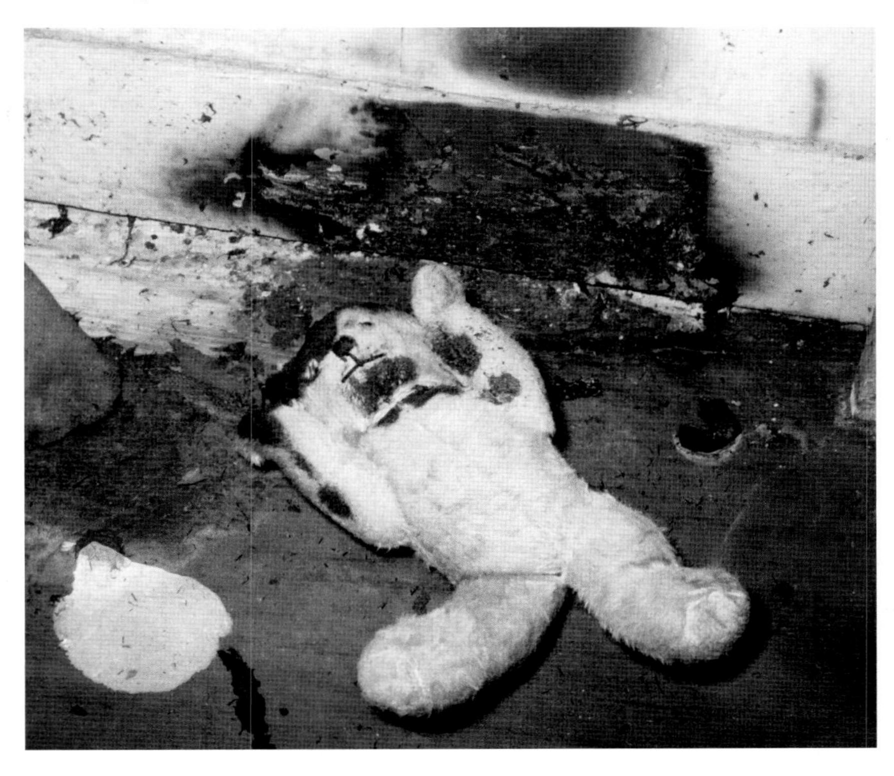

Il a demandé au garçon de sortir du lit et de s'asseoir dans le fauteuil, lequel s'est immédiatement mis à bouger dans la chambre avant de se balancer violemment de l'avant vers l'arrière, faisant basculer Douglas sur le sol. Le révérend a tenté de faire dormir l'enfant sur le plancher et lui a remis un oreiller et une couverture. Cette fois, Douglas a été tiré d'un côté et de l'autre de la pièce.

Perplexe, l'ecclésiastique ne pouvait trouver d'explication et, en désespoir de cause, on a fait appel à un prêtre de l'église catholique pour exorciser la demeure. Au cours des deux mois qui ont suivi, le prêtre a procédé à trente exorcismes et, chaque fois, le garçon tremblait et hurlait, avec une voix qui n'était pas la sienne. Finalement, en mai 1949, le rituel a été effectué de nouveau, mais sans entraîner de réaction violente chez le petit. L'activité poltergeist semblait s'être arrêtée pour de bon.

INDEX

REMERCIEMENTS

Art Directors and TRIP Photo Library / les photographes suivants :

© Andrea Alborno : page 44
© Martin Barlow : pages 52, 214
© Stuart Burgess : page 142
© Tibor Bognar : pages 26, 37, 52, 53, 104, 111, 113, 118, 120
© David Brooker : page 12
© Twink Carter : page 158
© Jerry denis : pages 15, à gauche, 90 et 91
© Antonia Deutsch : page 194, en bas
© Judy Drew : page 190
© Brian Gibbs : pages 34, 132, 135, 192
© Colin Gibson : pages 109, 160
© Fiona Good : page 102
© Spencer Grant : pages 6, 79 à droite, 126, 180. 218, 219, 235
© Jean Hall : page 188
© Richard Hammerton : page 245
© David Harding : pages 103, 194, dans le haut
© Juliet Highlet : pages 47, 49
© Douglas Houghton : pages 18, 191, quatrième de couverture
© Ester James : page 16
© Mary Jelliffe : page 70
© Malcolm Jenkin : page 217
© Robert Lewis : page 25, dans le haut
© Barry McGone : page 146
© Ken McLAren : page 127
© Paul Petterson : page 110
© Clay Perry : pages 2, 186, couverture 4
© Picturesque Inc. : page 59
©John Robertson : page 236
© Helene Rogers : pages 24, 32, 55, 66, 100, 101, 116, 117 à droite, 167, 171, en bas, 228.
© Brian Seed : page 88
© Robin Smith : pages 26, 97, 98, 99, en bas, 204, 205
© Mark Stevenson : page 10 à gauche, page couverture en bas à droite
© Vince Streano et Carol Havens : page 220
© Jane Sweeney : page 246
© Th-foto Werbung : page 29m en bas
© Constance Toms : pages 8, 177
© Flora Torrance : page 232
© Adina Tovy : pages 71,72, 112, 130, 131, 156, 166, 239
© Bob Turner : pages 9, 30, 56, 61 à droite, 95, 123, 138, 141, 148, 151, 152, 159, 172, 203, 212
© Geoff Turner : page 154
© Brian Vikander : page 183
© Joan Wakelin : pages 99 en haut, 106
© Roy Westlake : page 184
© Terry Why : page 234
© Nick et Janet Wiseman : page 36
© Chris Wormald : pages 22, 178, 181, 187, 195, 196
© Allan Wright : pages 20, 168, dans le bas, 169

Diane Canwell et John Sutherland : pages 64, 161, 162

© Bettmann /CORBIS : pages 80, 83, 92, 223, 224, 238, 240
© CinemaPhoto/CORBIS ; pages 81, 89
© Hulton-Deutsch Collection/CORBIS : pages 4, 69, 87, 241
© Floris Leeuwenberg/The Cover Story/CORBIS : page 45
© John Springer Collection /CORBIS : page 82
© CORBIS : page 215

© Fortean Picture Library : pages 10 à droite, 11, 14 à gauche, 19, 25 dans le bas, toute la page 28, 29 dans le haut, 40, 42 dans le haut, 68, page couverture en bas à gauche

Bibliothèque du Congrès : pages 15 à droite, 46, 58 en haut à gauche, les deux photos de la page 60, 61 à gauche, toute la page 62, les deux photos de la page 63, 74, toute la page 75, 77 à droite, 123 dans le bas, les deux photos de la page 128, 129, 149, 198 à droite, toute la page 201, les deux photos de la page 202, 210, 222, 231

© 2004 TopFoto.co.uk : pages 3, 227, 242, 243, 248, 249
© 2006 Fortean/TopFoto.co.uk : pages 43, 134, 174, 175, 198 à gauche, 226
© 2004 TopFoto.co.uk/upp : page 54
© 2000 Topham PicturePoint/Topfoto.co.uk : page 77 à gauche
© 2004 TopFoto.co.uk/ImageWorks : page 122

National Park Service L pages 94, 171 dans le haut, 172 à gauche.

Kevin Oately : pages 5, 38, 39, 41, 65, les deux photos de la page 136, 137, 144, 163, 164, 165, 168 dans le haut, 193

© Nick Rains-PPL

Regency House Publishing Ltd : pages 58 dans le haut à droite et dans le bas, 78, 85, 86, 123 dans le haut, 124, 125, 139, 170, page couverture dans le haut.